D1114859

Ma vie
avec Mozart

Eric-Emmanuel Schmitt

Ma vie avec Mozart

Albin Michel

C'est lui qui a commencé notre correspondance.

Un jour, pendant l'année de mes quinze ans, il m'a envoyé une musique. Elle a modifié ma vie. Mieux : elle m'a gardé en vie. Sans elle, je serais mort.

Depuis, je lui écris souvent, petits mots griffonnés au coin d'une table pendant l'élaboration d'un livre, ou longues missives rédigées la nuit lorsqu'un ciel dépourvu d'étoiles pèse au-dessus de la ville orangée.

Quand ça lui chante, il me répond, lors d'un concert, dans le hall d'un aéroport, au coin d'une rue, toujours surprenant, toujours fulgurant.

Voici l'essentiel de nos échanges : mes lettres, ses morceaux. Mozart s'exprime en sons, je compose des textes. Plus que maître de musique, il est devenu pour moi un maître de sagesse, m'enseignant des choses si rares, l'émerveillement, la douceur, la sérénité, la joie...

Peut-on parler d'une amitié ? Dans mon cas, il s'agit d'un amour doublé de reconnaissance.

Quant à lui...

A quinze ans, j'étais fatigué de vivre. Sans doute faut-il être si jeune pour se sentir si vieux...

Privé de cette main qui m'a retenu, je me serais laissé glisser jusqu'au suicide, cette mort qui me tentait, séduisante, apaisante, trappe dérobée où j'aspirais à m'enfourner avec discrétion afin de mettre un terme à ma douleur.

De quoi souffre-t-on à quinze ans ?

De ça, justement : d'avoir quinze ans. De ne plus être un enfant et pas encore un homme. De nager au milieu du fleuve, une rive quittée, l'autre non rejointe, buvant la tasse, coulant, remontant, luttant contre les tourments du courant avec un corps nouveau qui n'a pas fait ses preuves, seul, suffoqué.

Violents, mes quinze ans, rudes. La réalité frappe, entre, s'installe et trucide les illusions. Gamin, je pouvais me rêver mille destinées – aviateur, policier, prestidigitateur, pompier, vétérinaire, garagiste, prince d'Angleterre –, m'imaginer de nombreuses apparences – grand, fin, trapu, musclé, élégant –, me doter de talents variés – les mathématiques, la musique, la danse, la peinture, le bricolage –, m'attribuer le don des langues, la facilité pour le sport, l'art de la séduction, bref, je pouvais me déployer dans tous les sens puisque je n'avais pas encore de réalité. Qu'il était beau, l'univers, tant qu'il n'était pas vrai... Quinze ans, voilà que mon champ d'action se rétrécissait, les possibles tombaient comme des soldats à la guerre, mes rêves aussi. Charnier. Massacre. Je marchais dans un cimetière de songes.

Déjà un corps se dessinait : le mien. Le

miroir me permettait d'en suivre, atterré, la prolifération. Des poils... Quelle idée idiote ! Sur moi, un ancien bébé à la peau glabre, douce... Qui a suggéré ça ? Des fesses. Est-ce qu'elles ne sont pas trop grosses ? Un sexe... Est-il joli ? Est-il normal ? Des mains fermes et longues que ma mère appelle « des mains de pianiste » et mon père des « mains d'étrangleur »... Mettez-vous d'accord ! Des pieds immenses... Enfermé dans la salle de bains, laissant couler des litres d'eau de manière à persuader chacun que je me lavais, je passais des heures à contempler la catastrophe qui s'affirmait sur la glace : voilà ton corps, mon gars, habitue-toi, même s'il te semble incongru mémorise-le, tu n'auras que celui-là pour réaliser tout ce qu'un homme doit accomplir, courir, séduire, embrasser, aimer... Est-ce qu'il suffira ? Plus je le scrutais, plus retentissait un doute légitime : étais-je équipé du bon matériel ?

Mon esprit également se laissait envahir par

des sensations inconnues... L'obsession de la mort me gagna. Je ne parle pas de cette terreur que j'avais éprouvée parfois, le soir, entre les draps, lorsque les autres s'étaient endormis, et qui me rasseyait dans la pénombre, les doigts accrochés aux barreaux froids du lit, parce que j'avais soudain soupçonné que je mourrais, non, je n'évoque pas cet effroi bref, dissipé par la première lampe allumée, mais un malaise constant, pesant, essentiel, une douleur chronique.

Alors que mes testicules et mes muscles se remplissaient d'une force récente, alors que mon corps devenait celui tout neuf d'un très jeune homme, je débusquais dans cet aboutissement un indice funeste : ce corps serait aussi celui qu'on enterrerait un jour. Mon cadavre se précisait. J'avançais vers ma fin. Puisque nous marchions vers la mort, mes pas creusaient ma tombe. Ne se contentant pas de se trouver au bout du chemin, elle en paraissait le but.

Je crus avoir pénétré le sens de la vie : la mort.

Si la mort s'avérait le sens de la vie, alors la vie n'avait plus de sens. Si nous nous réduisions à une agitation momentanée de molécules, à un groupement éphémère d'atomes, à quoi bon exister ? Pourquoi la valoriser, cette vie sans valeur ? Pourquoi la conserver, cette vie dépourvue de vie ?

L'univers, aplati en trompe-l'œil, avait perdu son charme, ses couleurs, ses saveurs. Je venais d'inventer le nihilisme, m'initiant seul à cette religion du néant. Le quotidien s'était vidé de sa réalité : je n'apercevais plus que des ombres. Un corps de chair ? Une illusion... Une bouche aux dents blanches qui me sourit ? De la future poussière... Mes camarades bruyants et chahuteurs ? Des cadavres à la peau fine : je devinais leur squelette en dessous, plus rien n'arrêtait ma radiographie morbide du monde, je décelais un crâne et ses mâchoires derrière le visage de la fille la plus dodue. Même les cheveux me dégoûtaient, ces serpents secs, obscènes, depuis que j'avais appris qu'ils avaient leur durée propre, plus longue que la nôtre, car ils continuent à pousser sous le couvercle du cercueil.

La vie, cette farce provisoire, inutile, je souhaitais la quitter.

Je me jetai dans le désespoir avec la vigueur de mes quinze ans. Fièvres, tremblements, palpitations, asphyxies, malaises, évanouissements, toutes les possibilités que mon corps avait de fuir, il me les fournissait.

Arriva le moment où, passant trop d'heures à l'infirmerie, je ne parvins plus à suivre mes cours et l'administration du lycée alerta ma famille.

Mes parents m'emmenèrent consulter des médecins : dès que j'en rencontrais un, je guérissais très vite afin de me protéger d'une inquisition. Ils voulurent dialoguer : pas un mot ne sortit de mes lèvres.

Personne ne comprenait ce qui m'arrivait.

Lorsqu'on m'interrogeait, je me tassais dans mon silence car j'avais l'impression de porter le fardeau de l'initié : si j'avais percé les arcanes de nos jours, si j'avais conscience – moi seul, semblait-il – que cet univers était gangrené par la mort, tout n'y étant qu'apparences instables, pourquoi révéler ce secret ? Tant que ces innocents ne s'en rendaient pas compte, quel bénéfice à leur ouvrir les yeux ? Dans le but qu'ils souffrent ce que je souffre ? Je n'aurais pas cette cruauté... Sacrificiel, je gardais mes terribles lumières pour moi, ne tenant pas à ce que la vérité devînt contagieuse... Je préférais que chacun crût que l'existence était digne, bien que je sache l'inverse... Armé de lucidité, je me comportais en martyr du nihilisme : pas question de dévoiler à qui que ce soit l'insignifiance absolue. Lorsqu'on habite le désespoir, ce bidonville de l'esprit, on n'envie pas ceux qui occupent les beaux quartiers, on les oublie ou on estime qu'ils logent sur une planète différente.

Mais on ne meurt pas de fièvre, même si l'on grimpe à quarante degrés en quelques minutes ; on ne meurt pas non plus de transpiration, quelle que soit l'angoisse...

Puisque mon corps refusait de m'aider, je devais l'aider à disparaître.

Je songeai sérieusement au suicide.

Pendant les longues heures que je passais à prendre des bains, j'avais choisi ma méthode : ce serait celle de Sénèque. J'en réglais le cérémonial. Allongé dans la baignoire, protégé par l'épaisse mousse, je m'ouvrirais les veines avec un couteau bien effilé et mon sang me quitterait avec douceur, allant noyer ma vie au milieu des eaux bleues. Une mort sans douleur pour me retirer d'une terre de douleurs. N'ayant pas fait l'amour, j'imaginais ce moment comme un évanouissement sensuel, telle l'étreinte de Dracula, ce baiser de vampire qui met les femmes en pâmoison, un soulagement subtil...

Cependant, l'idée d'être retrouvé nu me gênait. Ce corps, ce corps d'homme inédit qui venait de me pousser, ce corps intact que personne n'avait encore jamais vu, ni tenu dans ses bras, ni embrassé, je ne souhaitais pas qu'on le découvrît ni qu'on le manipulât. Ma pudeur différa un temps l'exécution de mon projet.

Néanmoins, je me sentais si mal que, sûrement, cet obstacle pudibond allait bientôt céder pour laisser approcher l'instant de ma délivrance...

Dans cet état, j'assistai une après-midi aux répétitions à l'opéra de Lyon. Notre professeur de musique avait obtenu que ses meilleurs élèves bénéficient de ce privilège.

En entrant dans la salle, je ne remarquai d'abord que le délabrement des sièges, la poussière qui panait le velours, l'humidité qui décollait les papiers et cloquait les peintures. Ce vieux théâtre moisi qui venait de traverser un siècle sans rénovations me sembla conforme à ma vision du cosmos puisque, en tout, je ne relevais que la pourriture.

Le travail s'amorça. De la fosse, un piano accompagnait les chanteurs que malmenaient un metteur en scène et sa nuée d'assistants. Ça gueulait. Ça reprenait. Ça critiquait. Le spectacle s'ébauchait laborieusement. Je m'ennuyais sans excès. De toute façon, rien ne m'intéressait.

Une femme débarqua sur les planches. Trop grosse. Trop maquillée. Trop gauche. Affolée, telle une baleine égarée sur le sable, elle craignait de se mouvoir en scène.

– Va de la fenêtre à la coiffeuse puis reviens vers le lit.

Au fur et à mesure qu'on lui criait ses déplacements, elle hésitait, se reprenait, cherchait dans le décor un appui qu'elle ne trouvait pas, perdait encore en assurance, continuant à courir après une grâce et une aisance inaccessibles.

Son costume ne contribuait guère à la mettre à l'aise : on avait l'impression qu'en entrant elle s'était par mégarde enroulé les doubles rideaux autour d'elle, des étoffes lourdes et rêches, le tout composant un paquet qu'une ceinture terminait dans le dos en un nœud énorme, disproportionné ; moi, j'aurais pu me confectionner une barque avec ce nœud, un lit, une banquette...

Ses petites mains potelées, ses mouvements raides, son costume empesé, son fond de teint laqué, sa perruque figée aux boucles vernissées, chaque détail la transformait en une immense poupée pathétique.

– Merci, maintenant on passe au chant, dit le metteur en scène épuisé.

La femme se mit à chanter.

Et là, subitement, tout bascula.

Soudain, la femme était devenue belle. De son étroite bouche sortait une voix claire, lumineuse qui emplissait l'immense théâtre aux fauteuils vides, montant jusqu'aux galeries obs-

Les Noces de Figaro
Acte III Air de la
Comtesse
(1)

cures, planant au-dessus de nous, aérienne, portée par un souffle inépuisable.

Immobile, rayonnante, la cantatrice laissait son chant vibrer dans son corps muté sous nos yeux en instrument de chair. Ce qui donnait à son timbre cette rondeur, ce miel, c'était sa poitrine palpitante, ses épaules douces, ses joues molles, son flanc superbe, sa taille large, matricielle, qui devait fournir des enfants aussi magnifiques que ses sons.

Le temps s'était arrêté.

En face de la femme la plus féminine qui soit, je demeurais fasciné, suspendu à son chant, me laissant envelopper par lui, rouler, retourner, emmener, caresser... Je n'étais plus que cette respiration, sa respiration, au plus près de ses lèvres, collé à ses hanches. Elle faisait de moi ce qu'elle voulait. Je consentais, heureux.

Dove sono i bei momenti
Di dolcezza e di piacer...

Comprenais-je les paroles ? Elles faisaient allusion au bonheur, bonheur dont j'avais oublié le secret ; elles rappelaient un moment de douceur que les amants avaient connu, un plaisir qui n'était plus. Mais en évoquant un paradis perdu, la chanteuse rendait le paradis présent.

A travers la musique, nous faisions l'amour.

Ma force renaissait. Et l'émerveillement. Oui, déferlait dans la salle la beauté, toute la beauté du monde ; elle m'était offerte, là, devant moi.

Lorsque la soprano s'arrêta, il y eut un silence presque aussi émouvant que le chant, un silence qui, certainement, était encore de Mozart...

De la suite, je ne me souviens pas.

Ce qui me revient, c'est qu'à cet instant je fus guéri.

Adieu, désespoir ! Adieu, dépression ! Je voulais vivre. S'il y avait des choses si précieuses, si pleines et si intenses dans le monde, l'existence m'attirait.

Comme preuve de ma convalescence, j'éprouvai de l'impatience.

« Quand pourrai-je réentendre ce morceau ? Je dois convaincre mes parents de nous acheter des places. »

Et puis, deuxième signe de santé, une inquiétude me piqua le cœur.

« Aurai-je le temps de découvrir l'intégralité des merveilles dont la planète regorge ? Combien vais-je en rater ? Pourvu que je reste en bonne santé jusqu'à plus de quatre-vingt-dix ans, au moins... »

Voilà ce que disait l'adolescent qui, quelques minutes auparavant, voulait s'ouvrir les veines. Mozart m'avait sauvé : on ne quitte pas un univers où l'on peut entendre de si belles choses, on ne se suicide pas sur une terre qui porte ces fruits, et d'autres fruits semblables.

La guérison par la beauté... Aucun psychologue n'aurait songé sans doute à m'appliquer ce traitement.

Mozart l'a inventé et me l'a administré.

Telle une alouette filant vers le ciel, je sortais des ténèbres, je gagnais l'azur.

Je m'y réfugie souvent.

Cher Mozart,

Lorsque tu es entré dans ma vie, ce n'était pourtant pas la première fois que je te rencontrais. Loin de là. Tu m'étais familier, comme un visage croisé mais jamais regardé, une face connue, pas reconnue, le voisin qui n'a pas encore retenu l'attention.

Les disques familiaux, la radio m'avaient mis en rapport avec toi ; en dansant ton ballet *Les Petits Riens* avec la troupe dont elle faisait partie, ma mère m'avait donné l'occasion d'en fredonner par cœur la moindre gavotte, l'ultime passe-pied ; j'appréciais ta musique puisque, ayant exigé d'apprendre le piano à l'âge de neuf ans, je jouais déjà tes sonates lorsque je te remarquai. Alors pourquoi cette surdité sélective ?

Cette surdité, d'ailleurs, je l'ai vite décelée chez les autres. Une semaine plus tard, j'allai en compagnie de ma famille assister à une représentation payante, en costumes et avec orchestre, des *Noces de Figaro*. Lorsque la Comtesse vint chanter ses deux airs, je fus de nouveau inondé par la grâce. En larmes, je me penchai vers ma mère et ma sœur qui ne semblaient pas aussi transportées que moi. A l'entracte, je dus admettre qu'elles n'avaient rien éprouvé de violent ; si elles concédaient à ma chanteuse une jolie voix, elles lui reprochaient un physique peu crédible, trop imposant.

– Mais la musique, maman, la musique ! Tu as entendu ce morceau ?

– Je préfère les airs de Chérubin.

Moi, ce jour-là, je n'ai pas entendu les airs de Chérubin.

Ainsi font d'étranges détours les grandes expériences, toujours désordonnées, singulières, limitées, élitistes, suivant un chemin chaotique, dévoilements pour les uns, moments vides pour les autres.

Tu as donc été, Mozart, un coup de foudre à retardement.

Un coup de foudre, c'est aussi mystérieux en art qu'en amour.

Cela n'a rien à voir avec une « première fois » car ce qu'on trouve s'avère souvent être déjà là.

Plutôt qu'une découverte, c'est une révélation.

Révélation de quoi ? Ni du passé, ni du présent. Révélation du futur...

Cela relève de la prescience, le coup de foudre... La durée se plisse, se tord, et voilà qu'en une seconde jaillit l'avenir. Nous voyageons dans le temps. Nous accédons non à la mémoire du passé mais à la mémoire de demain. « Voici le grand amour des prochaines années que j'ai à vivre. » Tel est le coup de foudre : apprendre qu'on a quelque chose de fort, d'intense, de merveilleux à partager avec quelqu'un.

Lorsque tu m'as envoyé ta lettre, outre ta musique, j'ai reçu l'assurance que nous allions avoir une longue et belle histoire ensemble, que, mon existence entière, tu m'accompagnerais, tu me suivrais, tu me guiderais, tu me glisserais des confidences, tu m'amuserais, tu me consolerais.

Ai-je bien compris ?

Je compte sur toi.

A bientôt.

Cher Mozart,

Quand un oiseau chante, est-ce plainte, est-ce joie ? Dit-il son bonheur d'exister ou appelle-t-il la femelle qui lui manque ? Mystère du chant...

Toi, tu me fais remarquer que c'est beau.

Cher Mozart,

Merci de m'avoir envoyé mon portrait.

Malheureusement, je m'y suis reconnu.

J'ai dix-huit ans et je me découvre guère plus avancé que ton Chérubin qui en a moins.

Je ne sais si je veille ou je rêve,
Si je fonds, si je brûle ou je gèle,
Chaque femme qui passe ou m'effleure,
Chaque femme fait battre mon cœur.

Un désir vague et inquiet me tourmente constamment, mon sang bouillonne, ma tête se retourne sur ce qui passe ; je ne vois que certaines girouettes bien huilées qui se montrent aussi vives que moi.

Dès qu'il déboule en scène, ton Chérubin, léger comme un papillon qui voudrait butiner toutes les fleurs du printemps, changeant de direction avec le vent, versatile, soumis à des caprices qui le dépassent, m'a soufflé qu'il venait pour moi. Chérubin impulsif et impatient, Chérubin qui ne parvient pas à s'exprimer et qui s'exprime si bien...

Les Noces de Figaro ②
Acte I Air de
Chérubin

Il ne déclame pas, il murmure, il frissonne, il enchaîne des phrases brouillonnes, négligées, qui peinent à former une mélodie, variant le rythme et l'intensité. Ce frémissement de chant traduit le frémissement d'un être, vibration musicale de l'adolescence.

Pubère égocentrique, à l'affût de sa moindre pulsion, emporté par le sexe, il se passionne pour l'inventaire de soi. Pareil à Chérubin dans son air, j'ai une partie exaltée et l'autre contemplative ; entre les deux, non moins que lui je m'essouffle.

Les mouvements de mon corps et de mon âme, je les subis, je ne les contrôle pas. Ils passent en moi, par moi, sans moi... et c'est moi, cependant.

Je me retrouve dans cet orchestre agité, ondoyant, syncopé, soutenant le chant fébrile comme des vagues sur lesquelles la voix file...

Un seul mot ressort, obsessionnel : *desio*, désir ! Et ce désir agite les nuits de Chérubin autant que ses jours, le condamnant à une course en avant, repoussant le repos.

Soudain, la rêverie l'emporte sur l'exaltation. Chérubin confie son malaise à la nature, parlant d'amour « au ciel, aux plaines, aux fleurs, aux arbres, aux herbes, aux chênes, au vent, à la fontaine ».

Mais la rêverie se casse. L'émotion devient trop dense. Chérubin trahit son désarroi par des silences, des ralentis.

La fin de l'air livre un aveu fort culotté.

Et si personne n'écoute,
Je parle d'amour avec moi.

Ainsi qu'on se jette à l'eau, Chérubin déclare que si personne ne lui prête attention, en désespoir de cause, et surtout faute de partenaire, il se soulagera tout seul de son désir...

Grâce à toi, je sais désormais que je ne suis pas unique. Même si cela ne me rassure guère d'apprendre que nous sommes nombreux à rester solitaires...

Au long de l'opéra *Les Noces de Figaro*, il n'arrive rien à Chérubin. Moi non plus, je n'arrive à rien. Vrai, tu me consoles peu.

Et toi ? A quel âge es-tu arrivé à embrasser autre chose que tes lèvres contre le miroir ?

Sans rancune.

A bientôt.

P.-S. : De quel sexe est-il, ton Chérubin ? Au théâtre comme au concert, une femme joue le garçon. Mais le travestissement ne s'arrête pas là puisque plus tard Suzanne le déguisera en femme. Le spectateur se tient donc en face d'une femme qui joue un homme qui joue une femme...

Qui est Chérubin ?

A cause de ces métamorphoses, pour tout un chacun il est à la fois l'être qui désire et l'être que l'on désire. Le sujet désirant et l'objet désiré. N'importe qui – femme lesbienne, femme hétérosexuelle, homme hétérosexuel, homme homosexuel – peut se retrouver en lui, car il incarne une sorte de monstre qui représente chacun et l'autre, portant tous les attributs à la fois, enfant contradictoire qui ressemble à notre inconscient, réservoir des diverses pulsions...

Chérubin ou l'envie sous toutes ses formes... Chérubin ou l'érotisme instable...

Ma vie avec Mozart

Il ne sait pas qui il est, où il est, ni où il va. Une seule chose demeure certaine : il y va !

Moi aussi.

Cher Mozart,

Ce petit mot afin de t'annoncer que je suis enfin devenu un homme, si l'on entend par là celui qui cesse d'aspirer à l'amour pour le faire.

Il m'a fallu attendre vingt ans. Aussi tard que toi d'après ce que ta biographie m'apprend. Un point que nous partageons. Dommage que je n'aie en commun avec toi que tes retards, pas tes précocités.

Pourquoi, nous qui pouvons nous montrer assez futés ailleurs, avons-nous tant tardé ? Moi, j'avais trop peur des autres ; et encore plus de moi.

Et toi ?

Sommes-nous si lents parce que nous nous étions habitués à plaire avec des moyens distincts de notre corps, toi avec la musique et moi – dans une moindre mesure – avec les mots...

Enfin, c'est fait, tout va bien, merci.

A bientôt.

Cher Mozart,

J'avoue que je ne t'ai plus écrit, ces dernières années.

Depuis combien de temps ?

Peut-être dix ans puisque j'ai désormais trente ans.

T'avais-je oublié ?

Presque. J'étais trop occupé par toutes ces choses auxquelles on se consacre lorsqu'on a vingt ans, surtout si, comme moi, l'on estime devoir rattraper son retard. En bref, disons que je suis passé du rôle de Chérubin à celui de Don Juan... J'ai couru après les corps autant qu'après les pensées, aussi curieux de sexe que de philosophie, libertin facile à séduire, difficile à épuiser, impossible à retenir, vite lassé.

Cet opéra, *Don Giovanni*, pour son avidité et sa noirceur, parce qu'il témoigne d'un désir éperdu de vie, il fut du reste la seule œuvre de toi que j'ai pratiquée pendant notre séparation.

Pourquoi cette brouille ?

Brouille... une bouderie, plutôt, et qui venait de moi, de moi seul. Je revendique les torts. Dussé-je te blesser, je dois en confesser la raison : tu n'étais plus assez chic pour moi.

Dans mon milieu d'intellectuels, de jeunes loups assoiffés de savoir, d'apprentis philosophes et de futurs chercheurs en sciences, au sein d'un groupe assidu aux concerts de musique contemporaine pendant lesquels on ne parle que d'éclatement des structures traditionnelles, d'abandon du tonal, de rupture, de révolutions, de nouvelles grammaires musicales, bref, dans ce bataillon d'avant-garde, déclarer « J'aime Mozart » avait quelque chose d'incongru. Certes, j'aurais pu continuer à t'apprécier en secret ; or j'ai cédé. Désireux de m'intégrer, pliant sous le conformisme idéologique, je n'ai pas eu le courage d'être moi et j'ai préféré, lâche, t'effacer de mes références.

J'en étais parvenu à ne plus te voir qu'à travers ta caricature, le Mozart en perruque et rubans, trop galant, trop simple, un freluquet aux bas de soie, un marquis garni de dentelles, juste bon à figurer sur une boîte de chocolats autrichiens. Ces temps récents, il me fallait des nourritures plus fortes, plus épicées, plus compliquées, moins digestes ; il me fallait surtout des plats qui ne conviennent pas aux foules.

Pardonne-moi, j'ai cédé au snobisme. Tu plais à trop de gens – de l'enfant au vieillard, de l'analphabète au savant, du réactionnaire au metteur en scène avant-gardiste – pour gagner le statut d'auteur réservé aux snobs. Ne permettant pas à une étroite communauté d'élus de se reconnaître et de se distinguer des masses, tu n'es pas assez élitaire, Mozart, désolé.

Il faut dire que tu prêtes le flanc à cette exclusion. Tes qualités te desservent. Charmant... accessible... aimable... Certains compliments officient à l'instar d'une censure ; on peut retourner tes vertus contre toi : réduire le gracieux Mozart au petit Mozart, transmuter la séduction en démagogie, la simplicité en simplisme, n'apercevoir que le brillant sous la lumière, la superficialité sous la légèreté. Tu t'exprimes si vivement qu'un esprit scolaire peut ne pas t'entendre et demeurer sourd à ta profondeur, à ta gravité spirituelle, à ton sens aigu de la mort.

Heureusement, l'autre jour, tu m'as fait signe, à ta manière habituelle, en me pétrifiant sur place.

On m'a offert un enregistrement des *Noces de Figaro* pour une raison qui n'avait rien à voir avec toi, l'événement tenant aux interprètes qui divisaient la critique musicale.

Je retrouvai cet opéra avec émotion, comme on revient dans une maison d'enfance où l'on a été heureux. Avec prudence, précaution, par crainte d'être déçu, je circulai d'abord entre les pièces sans m'attarder sur ce qui m'avait tant plu ; cependant, peu à peu, mon doigt cessa d'ordonner à la télécommande d'avancer, ton génie dramaturgique s'imposa de nouveau.

Le signe qu'une œuvre est un chef-d'œuvre, c'est qu'on n'en saute jamais les mêmes passages.

Déjà reconquis, j'arrivai enfin au quatrième acte.

③ Les Noces de Figaro Acte IV Air de Barberine

Comment peut-on créer si vite un climat, une émotion ? Comment parvient-on à dire tant en quelques secondes ?

Les violons en sourdine, hypnotiques, presque irréels, jouent une musique nostalgique au balancement berceur : on comprend tout de suite que quelque chose a été perdu. Dans un jardin sombre aux bosquets labyrinthiques, une enfant égarée, lanterne à la main, seule au milieu de la nuit, sanglote et se plaint. De quoi est-elle victime ? Elle pleure après quelque chose qui a disparu... Tant que dure l'air, tu ne nous révèles pas quoi. Est-ce un parent, un fiancé ? Un espoir, une illusion ? Sa virginité ? Sa foi ? L'enfance ? L'innocence ?

Peu importe. Tout le chagrin est là, un peu boudeur certes, mais immense : un grand tourment dans un petit air destiné à une voix minuscule – la créatrice, Marianna Gottlieb, avait douze ans...

La mélodie tourne en rond comme une obsession, sans se trouver, sans se fixer, et finit par se perdre sur une question, suspendue, n'obtenant pas de réponse. La pure douleur. Les volutes étouffées et feutrées de la peine.

Par la suite, on apprend que Barberine a perdu une épingle. Quoi ? Ce désespoir pour une épingle !

Je me suis alors souvenu de mes premiers

chagrins, forts, foudroyants, paralysants, pour des motifs qui à présent ne retiendraient pas mon attention plus d'une fraction de seconde...

Tu as raison. La souffrance demeure la souffrance, intense, incomparable, quelles qu'en soient les raisons. Le sentiment tragique n'a pas d'instrument de mesure. Enfantin ou adulte, avec de bonnes ou de mauvaises causes, il est le tragique. Cette détresse pour une épingle perdue devient la métaphore de toutes les détresses.

Une ariette m'a reconduit à toi, à ton art économe, direct. Quelques mesures d'une ritournelle m'ont fait saigner.

Tu m'as guéri d'une maladie de jeunesse : la sophistication doublée d'une hypertrophie de la pensée. Courant de colloques en séminaires, déchiffrant les manifestes, faisant fi de mes émotions ou de mon plaisir, j'écoutais la musique avec une loupe, un dictionnaire et une règle à calculer, persuadé qu'un ordinateur l'apprécierait mieux que moi. Sûrement avais-je raison, dans certains cas... En revanche, ta cavatine me rappelle que l'on écoute en outre avec un cœur – ce qu'un ordinateur ne possède pas – et qu'un homme compose de la musique d'abord pour toucher les hommes, non pour s'inscrire dans une hypothétique histoire de la musique.

Bien que j'aie cherché à t'éviter – peut-être parce que j'ai cherché à m'éviter –, aujourd'hui, Mozart, je te reviens.

Cette fois, je ne te quitterai plus.

A bientôt.

Cher Mozart,

C'était hier.

Alors que la ville ployait sous le vent et la neige, tu m'as surpris au détour d'une rue. Les larmes que tu m'as arrachées m'ont réchauffé d'une façon essentielle, le visage autant que l'âme. J'en tremble encore.

Noël avait jeté sur les trottoirs des centaines d'humains affolés à l'idée de manquer de cadeaux et de nourriture lors des festivités à venir. Les mains chargées de sacs qui formaient autour de moi une corolle multicolore, bruissante et enrubannée, j'avais l'impression d'avoir changé de siècle, de sexe et de porter une large robe à crinoline Napoléon III dont le volumineux jupon contraignait les passants à sauter sur la chaussée lorsqu'ils me croisaient.

Sous un ciel bleu-noir, les flocons flottaient dans l'air du soir, suspendus, hésitants, alors que les vitrines se réchauffaient d'éclairages orangés. Accaparé par une frénésie d'achats, je courais, les pieds gelés dans mes bottines humides, d'une boutique à l'autre, inquiet devant chaque caisse de me trouver à court d'argent, fier d'en avoir assez, me répétant vingt fois la liste de mes invités pour m'assurer que chacun recevrait son présent, désamorçant les réactions de susceptibilité. Si l'on décernait un diplôme au meilleur dépensier à la dernière minute, j'aurais pu postuler.

Une fois que mes sacs eurent englouti l'ultime cadeau nécessaire, je songeai à me réfugier dans un taxi pour rentrer et je trottai vers une station.

C'est là que tu intervins.

Une musique me fit pivoter : une chorale chantait.

(4) Ave, verum corpus
Motet

Il y avait dans l'air quelque chose de probe, de recueilli qui m'immobilisa.

A cause de la neige, je ne pouvais poser mes paquets au sol par crainte que l'humidité ne les amollisse ; je demeurai donc debout, les bras chargés, les épaules lourdes, les paumes sciées, à me laisser pénétrer par le mystère qui envahissait l'espace.

Quelques secondes plus tard, les larmes jaillirent de mes paupières, violentes, chaudes, salées, sans que je puisse les essuyer.

Où étais-tu lorsque tu écrivis cela ? En quelle année ? Quel mois ?

En tout cas, grâce à toi je découvrais soudain où je me trouvais.

Je haussai la tête.

Noël au pied de la cathédrale...

Je n'avais rien remarqué auparavant.

Autour de moi, les bâtisses du vieux Lyon s'écartaient devant le parvis de Saint-Jean. La façade gothique se dressait, haute, bienveillante, arrondie de rosaces, alanguie de guirlandes, poudrée de neige. Pendant les heures précédentes, je ne lui avais pas prêté attention car il n'y a rien à acheter dans une cathédrale...

Sur les marches, réfugiés sous les ogives qui les protégeaient des flocons, les chanteurs, collés, anorak contre anorak, des glaçons en formation sous les narines, émettaient de la buée chaque fois qu'ils ouvraient la bouche. Je m'approchai et les voir redoubla ma surprise : était-il possible qu'un chant si beau sorte de ces faces sexagénaires, aux allures rustiques, à la peau rissolée, aux traits creusés par les années ? D'une chorale de vieillards naissait une musique ronde, neuve, lisse comme un bébé qui sort du bain.

J'avisai la partition du chef : *Ave, verum corpus* de Wolfgang Amadeus Mozart.

Encore toi ?

Salut à toi, vrai corps
né de la Vierge Marie,
qui as vraiment souffert,
immolé sur la croix par les hommes.
Toi dont la côte percée
a versé du sang et de l'eau,
sois pour nous un avant-goût
de ce qui adviendra par la mort.

Je levai les yeux vers les flèches, les gargouilles, l'enlacement des sculptures qui grimpaient jusqu'au clocher et ma vue se brouilla... Noël... Tu me révélais que nous vivions un moment sacré. Au plein cœur de l'hiver, à la saison où l'on craint que les ténèbres ne l'emportent, que le froid ne nous fige dans une glace définitive, lorsque enfin, vers le 20 décembre, la lumière recommence à croître, les hommes de toutes les civilisations se réunissent pour fêter le solstice, la clarté timide, le regain de l'espoir. Les bougies que nous allions allumer aux fenêtres de nos maisons, elles annonceraient le printemps ; les feux où nous jetterions des pommes de pin, ils préfigureraient l'été.

En même temps, tu disais « *Ave, verum corpus* » : tu attribuais un sens religieux à cet instant.

Religieux, je ne le suis guère.

Insistant, mélodieux, d'une douceur inexorable, tu me contraignais pourtant à un examen critique. Pourquoi fêtes-tu Noël ? me demandais-tu. Pourquoi dépenses-tu tant d'argent ? Les réponses arrivaient à ma conscience et me faisaient peur. Alors que je me croyais bon depuis le matin, je découvrais que j'étais surtout très content de moi : j'effaçais l'égoïsme qui avait réglé mon comportement durant l'année, je compensais en cadeaux les intentions que je n'avais pas eues, les coups de téléphone que je n'avais pas rendus, les heures que je n'avais pas consacrées aux autres. Au lieu de rayonner de générosité, je m'achetais une tranquillité d'âme. Ma frénésie de dons n'avait rien d'évangélique : un placement précis pour m'acquérir une bonne réputation. Je ne souhaitais pas la paix, je ne désirais que la mienne.

Or tu me rappelais que nous fêtions la naissance d'un dieu qui parle d'amour...

Alors, peu importe que j'y croie ou non, à ce dieu ; dans la mesure où je m'autorisais à fêter Noël, au moins devais-je célébrer l'amour...

J'avais compris.

A la fin du morceau, bien que pesant toujours aussi lourd dans mes paumes déchirées, mes paquets avaient un sens différent : ils étaient lestés d'amour.

Le chœur apaisé qu'avaient exhalé ces vétérans, il me désignait un monde dont je n'étais pas le centre mais dont l'humain est le centre. Il exprimait une attention des hommes pour les hommes, un souci quant à notre vulnérabilité, notre condition mortelle. Voilà ce que disaient les tortues en bonnets de laine sous les portiques de Saint-Jean.

Dans la nuit obscure de l'hiver et de la chair, nous étions frères en fragilité. Tu me révélais qu'il y avait un univers purement humain, établissant ses propres fêtes, ses règles, ses croyances, ses rendez-vous où les voix s'enlacent en harmonie pour délivrer une beauté qui ne peut naître que de l'accord, de l'entente, au prix d'une recherche commune, d'un but consenti, d'une émotion partagée... Surgissait un monde parallèle à la nature, celle-là même que le gel, le froid, la nuit pouvaient anéantir. Un univers inventé, le nôtre. Cet univers-là, par ta musique, tu le reflétais, tu le dessinais. Peut-être le créais-tu ?

A ce royaume – au-delà du christianisme et

du judaïsme, indépendant des religions –, je voulais croire.

Aujourd'hui, je ne sais si Dieu ou Jésus existe. Mais tu m'as convaincu que l'Homme existe.

Ou mérite d'exister.

Cher Mozart,

La vie me brutalise.

D'un côté elle me gâte, de l'autre elle me frappe. Dans les deux cas, je la subis comme une violence.

Apprends d'abord que j'ai rejoint ton camp, le camp des créateurs : me voici écrivain, publié, joué, traduit en de multiples langues. Le succès m'est tombé dessus sans que je l'attende, avant que je n'en rêve, m'offrant la chance de gagner mon pain avec mon art. Dès le mois prochain, je quitte l'université où j'enseigne la philosophie pour assumer le nouveau rôle qu'on m'a assigné, celui d'un jeune et brillant dramaturge.

En même temps, le destin a décidé que je ne me réjouirais pas de ce bonheur : on agonise autour de moi. Des êtres que j'aime sont atteints d'une maladie nouvelle, un virus qu'on attrape en faisant l'amour et qui désarme peu à peu le corps jusqu'à le rendre incapable de lutter contre les maux qui l'attaquent. On ne meurt pas de ce virus mais on crève d'être devenu une citadelle privée de résistance.

Chaque génération connaît une guerre ; la nôtre n'aura eu qu'une épidémie. Notre défaite restera sans gloire. Sur les photos rappelant mes années d'études, je peux dorénavant tracer une croix sous plusieurs visages. Trente-quatre ans et déjà encerclé de fantômes...

Si au moins ces décès étaient prompts.

Au lieu de cela, les médecins, impuissants à enrayer l'érosion des défenses immunitaires, ne parviennent qu'à ralentir les maladies. Conclusion ? Ils allongent les agonies. Les patients sont condamnés à s'affaiblir, maigrir, perdre leurs cheveux, leurs muscles, leur vitalité, leurs capacités intellectuelles ; ils se voient infliger cette honte supplémentaire d'endurer une sénilité accélérée en attendant l'issue définitive. Que de temps laissé au découragement, à l'angoisse...

Je suis las, Mozart, si las. Les couloirs d'hôpitaux n'ont plus de secrets pour moi, j'en sais les rites, les horaires, les odeurs, les bruits feutrés, le peuple infatigable des infirmières en galoches, les médecins fugitifs au front barré par les soucis, les chariots chromés avec leur bimbeloterie de médicaments inefficaces, les râles qui parfois s'échappent des chambres, les familles plombées qui stationnent devant la porte en craignant le malade ; je frissonne au moment où le jour glisse dans la nuit, quand l'angoisse va saisir les patients et qu'il faudrait se trouver auprès de chacun pour lui tenir la main, le bercer, lui raconter une histoire.

Même si je n'aime pas ce qui s'y déroule, j'aime l'hôpital car il est devenu un lieu d'amour.

Du coup, c'est lorsque je le quitte que l'énergie me manque. Le soir en gagnant mon appartement obscur, épuisé par les conversations que j'ai dû engager, trop fatigué pour ouvrir un livre, craignant d'allumer la radio ou la télévision qui vomiraient sur moi de nouvelles horreurs, je n'accède plus au repos. Sans doute ai-je peur de m'allonger, de prendre une position qui ressemble à celle des mourants... ou bien honte de survivre ?... En tout cas, je ne sais quelle crispation m'interdit de me laisser aller et me tient éveillé jusqu'à l'aube, cet instant où le halo des réverbères s'estompe, les trottoirs passent du noir au gris, le rideau de fer se lève lentement au bistrot de l'angle pour attirer les premiers ouvriers qui, cigarette aux lèvres, viennent siroter au comptoir un café âcre ; alors je m'autorise à relâcher ma vigilance absurde et sombre quelques heures dans le sommeil.

Pourrais-tu m'envoyer un conseil ? As-tu réfléchi à cela ? Je suis persuadé de ne pas être sur terre l'unique individu à éprouver de la douleur mais elle me rend si impuissant et si désemparé que je me tourne vers toi.

Cher Mozart,

Comme c'est étrange ce que tu viens d'accomplir ! M'envoyer une musique triste, et, ce faisant, me consoler de ma tristesse.

Et quel messager inattendu tu avais choisi ! J'ignorais qu'il existait des anges assez facétieux pour s'incarner en colosse noir au volant d'une voiture pourrie.

A vingt heures, j'ai quitté l'hôpital ; lorsque j'ai vu un taxi libre le long de la chaussée humide, je me suis jeté dedans, non pour rentrer plus vite car j'appréhende de me retrouver seul chez moi, mais pour éviter l'interminable retour en métro, ces stations qui ne changent ni de nom ni d'ordre, ces affiches joyeuses indifférentes à ma peine, ces lumières cruelles sur les visages fatigués, ces sièges où je n'arrive pas à me glisser à cause de mes épaules trop larges, ces odeurs de vieux corps qui n'ont pas apprécié leur journée.

Le chauffeur de taxi, un Africain à la voix fruitée, dont l'immense buste en pyramide rendait exigu l'habitacle de tôle, me demanda la permission d'écouter de la musique.

– Ça dépend de ce que vous mettez, répondis-je en m'attendant à du jazz ou du reggae.

– Je passe un disque que m'a laissé un de mes clients.

– Après tout, faites ce que vous voulez.

– Si ça ne vous plaît pas, j'arrête.

Avec sa paluche géante qui réduisait les commandes de son véhicule à un modèle miniature pour enfants, il a pressé un bouton et soudain, tu es entré dans la voiture afin de continuer le voyage avec nous.

(5) Concerto pour clarinette Adagio

La clarinette, bercée par les cordes, murmurait une mélodie tendre qui exhalait, avec ses mouvements descendants, une sorte de tristesse sereine.

Au début, j'ai pensé que tu m'envoyais cet adagio par sympathie, juste pour me prouver que tu avais connu, toi aussi, le chagrin.

Puis le morceau continua et je m'aperçus que tu me disais autre chose. Quoique douce, délicate, la clarinette refusait de fléchir, de céder à la déprime, elle remontait, elle chantait, elle s'épanouissait. Le chagrin se transfigurait. De ton sentiment, tu faisais une œuvre. La tristesse s'était muée en beauté.

J'appuyai mon dos sur la banquette de cuir, je renversai la tête en arrière et laissai couler mes larmes.

Pleurer, enfin. Depuis que j'affrontais les agonies de mes proches, je n'avais plus pleuré.

Pleurer. Puis accepter.

Grâce à toi, j'acceptais. Oui, je crois que j'acceptais aussi.

Quoi ?

En sortant du taxi, si j'éprouvais cette certitude, je ne pouvais encore la nommer.

Revenu ici, j'ai dû écouter plusieurs fois ton *Concerto pour clarinette* dans le but de mieux comprendre.

Accepter l'inévitable tristesse. Consentir au tragique de l'existence. Ne pas se raidir contre la vie en la niant. Cesser de la rêver autre qu'elle n'est. Epouser la réalité. Quelle qu'elle soit.

Tu m'offres la sagesse de dire « oui ». Etrange, ce « oui », alors que mon siècle, ma formation intellectuelle, nos idéologies me donnent l'illusion d'être fort en opposant un « non ».

Ce soir, je me suis pardonné.

Pardonné de ne pas avoir le pouvoir de changer l'univers. Pardonné de ne pas savoir rivaliser avec la nature quand elle nous détruit. Pardonné de n'avoir comme arme que ma seule compassion.

Ce soir, je me suis pardonné d'être un homme.

Merci.

Cher Mozart,

L'autre soir, j'ai rencontré un savant paléontologue qui avait eu l'occasion d'examiner ton crâne. Une fois qu'il m'eut convaincu que c'était vraiment le tien, retiré de la fosse commune et conservé pieusement depuis des siècles, son identité ayant été confirmée par des analyses d'ADN, je demandai avec curiosité :

– Alors, qu'a-t-il de différent, le cerveau de Mozart ?

– Rien de spécial à dire sur son cerveau. En revanche... non, je vais vous choquer...

– Si, dites.

– Non, ça ne va pas vous plaire...

– Dites.

– Eh bien, si vous aviez vu l'état de ses dents... une catastrophe !

Dans les minutes qui suivirent, je me suis isolé pour songer à toi. Non, je n'étais pas choqué : j'éprouvais le vertige.

(6) Une Petite Musique de nuit
Rondo Allegro

Comment pouvais-tu écrire cette musique légère, aérienne, fluide, aisée, avec un corps qui gémissait, des gencives qui te faisaient souffrir ?

Plusieurs fois, en lisant des biographies, j'avais constaté que, épuisé par les voyages et l'excès d'activité, tu avais consacré des mois, voire des années, à lutter contre des infections, des problèmes digestifs, des difficultés rénales, cependant on ne m'avait pas encore parlé de ta bouche...

Me revient en tête une phrase de toi, prononcée en ta jeunesse : « Il n'y a pas un jour où je ne pense à la mort. » Cette réflexion jointe au délabrement de ton palais, voilà qui permet de donner un plus juste poids à ta joie. Loin de venir d'une ignorance, elle est connaissance du malheur, réaction au calvaire. Elle fleurit sur du purin. Une joie décidée, volontaire. Un exercice de joie.

Y a-t-il plus beau fondement à l'optimisme ? Aujourd'hui, l'optimisme pâtit d'une mauvaise presse ; lorsqu'il ne passe pas pour de la bêtise, on le croit provoqué par l'absence de lucidité. Dans certains milieux, on va jusqu'à décerner une prime d'intelligence au nihiliste, à celui qui crache sur l'existence, au clown sinistre qui expire « bof » d'une manière profonde, au boudeur qui radote : « De toute façon, ça va mal et ça finira mal. »

On néglige que l'optimiste et le pessimiste partent d'un constat identique : la douleur, le mal, la précarité de notre vigueur, la brièveté de nos jours. Tandis que le pessimiste consent à la mollesse, se rend complice du négatif, se noie sans résister, l'optimiste, par un coup de reins énergique, tente d'émerger, cherchant le chemin du salut. Revenir à la surface, ce n'est pas se révéler « superficiel », mais remonter de profondeurs sombres pour se maintenir, sous le soleil de midi, d'une façon qui permet de respirer.

Non seulement je ne perçois pas l'intérêt pratique de la tristesse, mais je n'ai jamais compris l'avantage philosophique du pessimisme. Pourquoi soupirer si l'on a la force de savourer ? Quel bénéfice à communiquer son découragement, refiler sa lâcheté, oui, quel gain pour soi ou pour les autres ? Alors que nos corps transmettent la vie, faut-il que nos esprits procurent le contraire ? Si notre jouissance génère des enfants, pourquoi notre intellect, lui, engendrerait-il du néant ?

Il est sublime, le sourire de celui qui souffre ; elle est plus touchante, l'attention de l'agonisant ; elle est bouleversante, la beauté du papillon...

Rentré à la maison, songeant à ta mâchoire meurtrie, j'ai eu le besoin d'écouter ta musique religieuse et elle m'a envoyé de nouvelles pensées.

Mozart, l'humanité a changé. Le monde s'est amélioré sans que nous en soyons conscients. Entre ton siècle et le mien, il n'y a pas que des différences technologiques : la vie que nous vivons n'est plus la même. Quoiqu'on meure toujours, on l'oublie presque car on traverse des existences longues, confortables. Toi, tu écris dans un temps où l'on endure le mal de la naissance au trépas, où la médecine, pauvre en médicaments, se montre impuissante à guérir autant qu'à soulager : les maladies emportent des êtres jeunes, les couples tel le tien ou celui de tes parents sont obligés de donner naissance à sept enfants pour en voir subsister deux... Un baron n'appelait-il pas tous ses nourrissons mâles Johan, sachant qu'un seul arriverait à l'âge adulte avec ce prénom ? Pendant des millénaires, les médecins ont tué davantage qu'ils n'ont soigné ; en saignant leurs patients affaiblis, ils diminuaient leur résistance quand ils ne provoquaient pas une septicémie avec des instruments non désinfectés.

A quoi servait la religion ? A vous apprendre à résister à la douleur, à l'accepter, à l'assimiler au cours de vos jours. Chaque messe débutait par : « *Kyrie eleison, Christe eleison* », « Seigneur, prends pitié, Christ, prends pitié ». Ensuite retentissait « *Laudamus te, benedicamus te, adoramus te, glorificamus te* », « Nous te louons, nous te bénissons, nous t'adorons, nous te glorifions ». S'il nous est si facile de moquer cette foi passée et de suspecter son dolorisme, c'est parce que nous ignorons l'expérience qui la fondait, l'expérience quotidienne de la souffrance, du premier cri jusqu'au dernier, pour chacun, sur toute la terre.

Soudain, les paroles de tes messes me frappaient ; quoique tu ne les aies pas inventées puisqu'elles t'étaient imposées, je les recevais avec attention et commençais à deviner pourquoi tu aimais tant écrire des œuvres religieuses. « Prends pitié, écoute-nous. » Voici que se précise le chant des créatures infirmes, malades ou malheureuses, un chant qui s'élève vers le ciel...

Aujourd'hui, on descend dans la rue pour se plaindre, on pose des bombes, on fait des procès, on s'attaque à l'Etat, aux puissants, aux industries... Certainement a-t-on raison car beaucoup de maux humains dépendent des hommes ; en revanche, l'effet secondaire est qu'on grogne au lieu de prier, on rouspète plutôt que de méditer. Et on n'adore plus rien.

Alléluia ne se dit plus, maintenant... *Et exultavit*, je n'en trouve pas l'équivalent moderne, à moins que ce ne soit ces râles enregistrés dans des studios de postsynchronisation lorsque l'on bruite les films pornographiques. On n'exulte plus, Mozart, on partouze, et l'on crie « Yeah... » dans l'intention de vendre le produit sur tous les marchés.

Si l'homme désormais a relevé ses manches pour fabriquer son destin – ce qui est bien –, il ne croit plus qu'en lui. Résultat : un monde plus juste, plus sûr peut-être, mais un monde dont nous excluons la douleur et la joie.

Toi, tu témoignes d'une sagesse autre : celle qui admet la souffrance sans pour autant tuer l'émerveillement, celle qui, pleurant les morts, célèbre néanmoins la vie.

Cette nuit, grâce à toi, je remontais vers cette source qui me faisait du bien, cette raison humble, cette sagesse qui consiste en l'amour du vrai, l'amour de la réalité telle qu'elle est.

Cher Mozart,

La maladie vient de frapper.

Aujourd'hui, j'ai perdu une femme que j'aimais. Elle a rejoint les milliards de morts qui composent l'humanité passée.

Bientôt va se défaire sous terre un corps que j'ai palpé, embrassé, serré parfois si fort contre moi.

Je ne sais pas ce qui est le plus absurde et le plus irréel : sa mort ou ma survie.

Et je n'ai pas le temps d'y songer car je dois m'occuper d'autres êtres qui, malades ou non, ont eux aussi besoin de moi.

Heureusement, tu es là. Ta musique reste ma seule confidente.

Cher Mozart,

Ce jour est un anniversaire.

Il y a un an, j'ai perdu cette femme que j'ai aimée.

Douze mois plus tard, je demeure pareil à un crétin, muet, hébété, les yeux secs, les mains vides, au bord de la fosse, encore surpris de n'avoir pu la retenir...

Dans ce gouffre, elle a emporté tous les souvenirs nous concernant, comme si elle les avait gardés sur elle ; ils me sont désormais inaccessibles. Je ne me rappelle que les moments d'avant, lorsque nous étions amis, et les moments d'après, lorsque nous étions amis de nouveau. Nos six années amoureuses ont disparu avec elle.

Est-ce que l'on se console de l'absence d'un être ?

– On s'habitue à souffrir, on ne se console pas.

Certes, mais pour s'habituer à souffrir, il faudrait déjà souffrir ; tandis que moi, hachuré, caviardé, coupé d'une partie de ma sensibilité, je n'y parviens pas.

– Tu verras, continue cet ami, la nature est bien faite : tu finiras par y penser de moins en moins souvent.

Y penser moins, je le souhaiterais, ce serait y penser un peu, or je n'y arrive pas. Y penser avec tristesse, y penser avec plaisir, y penser avec rage, mélancolie, nostalgie, peu importe, si je réussissais à y penser...

A chaque fois que le nom de cette femme surgit, l'obscurité se fait en moi, je subis une panne de conscience. Du coup, j'ai tendance à fuir ceux qui l'ont connue pour éviter qu'ils ne m'en parlent et ne provoquent le court-circuit ; ainsi, je me retrouve seul, et même pas en compagnie de moi.

– Tu feras ton deuil...

Comment ?

Force est de constater que je n'évolue pas.

S'il te plaît, Mozart, aide-moi.

Donne-moi le moyen d'habiter mon passé. Un pan de ma vie a glissé dans l'oubli, un âge heureux, candide, innocent, joyeux pour moi non moins que pour elle : ne laisse pas le néant gagner.

Cher Mozart,

Merci.

Tel un chirurgien des sentiments, tu m'as opéré de tes doigts habiles et je me porte mieux.

Il suffisait donc d'un morceau ? L'adagio d'un concerto pour violon...

Dimanche, je regardais distraitement à la télévision la retransmission d'un concert où, après une ouverture pétaradante comme l'exécutent ces chefs qui manquent de confiance en eux, nous avions droit à un concerto de toi, une œuvre de jeunesse. Dois-je l'avouer, tu m'agaças durant le mouvement inaugural que je trouvais un peu trop joli avec son jabot et sa perruque poudrée à la mode de Paris.

Arrive l'épisode lent. L'orchestre amorce une ritournelle, ainsi qu'on se racle la gorge avant de chanter, une esquisse, une répétition ; une fois encore, rien de grand ne s'annonce. Puis, doucement, le violon entre en scène, presque hésitant, quelques notes légères, des ailes se posant sur les cordes, et là, soudain, il se lance, son chant s'affirme, vibrant, émouvant, ample et fragile à la fois.

Concerto pour violon n° 3 Adagio (7)

Dans mon esprit, tout se brouille et bientôt l'évidence m'apparaît. Ce n'est plus un instrument que j'entends, c'est la vibration d'une âme. Une voix d'enfant domine les bruits et les fracas du monde. C'est elle. La femme que j'ai aimée me revient avec son visage tendre, ses yeux qui brillent. Elle me regarde avec affection. Nous nous retrouvons enfin.

Le chant du violon tendu, ouvert, tel le plus

beau de ses sourires, continue à s'élargir et à monter, s'élever, se hisser sans cesse...

Grâce à toi, je retrouve la mémoire. Moi qui ne pouvais plus songer à elle, j'y parviens en musique. Ton violon me rend sa présence, sa lumière.

Avec les personnages de ton orchestre, tu me redonnes accès à mon théâtre intime. Derrière tes marionnettes surgissent mes personnages. Grâce aux métaphores que tu me proposes, je peux de nouveau penser – panser – mon histoire.

Merci, je ne suis plus coupé en deux. Tu as fait de moi un homme réconcilié.

Cher Mozart,

Sais-tu que je suis devenu ton librettiste ? Deux cent cinquante ans plus tard, je travaille pour toi, faute d'avoir pu travailler avec toi.

Je mets des paroles françaises sur ton opéra, *Les Noces de Figaro*. Un œil sur la pièce de Beaumarchais qui a inspiré l'adaptateur italien Da Ponte, l'autre sur ta partition, les doigts enfoncés dans les touches du piano, le crayon à papier entre les lèvres, la gomme et un dictionnaire de rimes à portée de main, c'est soumis à cet inconfort que, chaque matin, je consacre deux heures à ce projet.

Certes, tu as écrit *Les Noces* en italien et ton œuvre demeurera vivante en italien, cependant qui comprend l'italien ? L'italien chanté ? Et cet italien-là, du XVIIIe siècle vénitien ?

Lorsque mon ami Pierre Jourdan qui dirige l'opéra de Compiègne est venu me demander de rendre ton œuvre accessible au public de France, j'ai cru recevoir la visite d'un messager me proposant de régler ma dette vis-à-vis de toi : le « oui » jaillit de ma bouche. Oui, nous allions rendre Mozart encore plus populaire ! Oui, nous allions prouver que tu n'étais pas seulement un génie musical, mais un génie dramatique.

Ensuite, les ennuis commencèrent car, dès mes premiers tâtonnements, j'ai palpé l'ampleur de la tâche. Me voici occupé à disséquer tes phrases, à en déterminer la carrure, à en compter les pieds, à rechercher dans ma langue des termes dont les accents tombent de façon idoine sur tes appuis rythmiques, à vérifier que le résultat en est audible, chantable, etc. Disons, pour abréger, qu'il s'agit à la fois de pratiquer le théâtre, la musique, les mathématiques, la traduction et la poésie.

La patience qu'exige cette épreuve, tu me la donnes en me permettant de fréquenter ton génie. Travailler aux cuisines d'un chef-d'œuvre dégourdit l'apprenti. As-tu besoin de flatterie, là-haut, sur ton fauteuil de nuages ? Alors tiens-toi droit et ouvre tes oreilles.

Comme un grand dramaturge, tu donnes leurs chances à tous les personnages. Lorsque tu entres dans un rôle, tu ne le juges pas, tu lui accordes ta sympathie, tu lui permets de respirer. Aussi juste en valet Figaro qu'en Comte vorace, aussi joyeux en Suzanne que nostalgique en Comtesse, effronté quand déboule Chérubin, compassé lorsque vaticine Bartolo, soudain enfantin si Barberine se perd dans la nuit, tu sembles capable d'exprimer l'humanité sous tous ses aspects, ses sexes, ses âges. Autant Don Juan qu'Elvire, autant bourreau que victime, ne limitant à aucun moment le bourreau à sa fonction de bourreau ni la victime à son statut de victime, tu as le sens de l'épaisseur, de la complexité et tu permets au public de côtoyer des personnages fort différents de lui. Avec toi, notre lointain devient notre prochain. Tu sais tout raconter parce que tu rends tout palpable.

Tu as saisi que le théâtre est l'art de la rupture et de la discontinuité. Sans cesse, tu changes de rythme, de tempo, accélérant ici, retenant là, ne t'arrêtant la pause d'un silence que pour mieux repartir. On échoue au théâtre si l'on ne pense qu'à soi. Les écrivains ivres de leur langue ou les compositeurs enchantés de leur musique défaillent à la scène car, au lieu d'écouter les personnages et les nécessités de l'action, ils s'écoutent eux. Même s'ils ont du talent, l'oreille qu'ils penchent avec trop de complaisance sur celui-ci les empêche d'entendre l'essentiel : le cœur des personnages, la course des pas, le repos nécessaire, la vie qui s'organise et s'improvise, autonome. Toi, avant d'avoir une oreille de musicien, tu as un œil de metteur en scène. Ta musique règle les mouvements, les entrées et les sorties, accentue un détail, détache une émotion. Elle crée l'action au lieu de l'interrompre ou de l'accompagner. Souvent, tes collègues se sont demandé, d'ère en ère, comment doit fonctionner l'opéra : primauté de la musique ou primauté de la parole ? *Prima le parole* ? *Prima la musica* ? Faux dilemme auquel tu réponds : *Prima il teatro* !

Préférer le théâtre à la musique, préférer le théâtre à la littérature... ils sont peu nombreux les compositeurs et les écrivains à avoir tranché de cette façon. D'où la maigreur de nos répertoires...

Enfin, tu composes pour les voix comme personne. Jamais un chanteur ne s'est cassé la voix en te pratiquant ; au contraire, les professeurs conseillent toujours aux professionnels fatigués de revenir à Mozart ainsi qu'à un lait maternel qui apporte ses bienfaits aux gosiers.

Pourtant tu n'es pas facile à chanter dans la mesure où tu ne supportes que des organes domestiqués. Souvent, les très grosses voix, les voix phénoménales, celles qui parviennent à passer par-dessus un orchestre déchaîné, celles qui ont le culte de la force plus que de la ligne, te craignent et t'évitent, tel un haltérophile qui devrait marcher sur un fil ; les faiseurs de décibels savent qu'ils peuvent négliger le phrasé, manquer de liant dans l'enchaînement des notes, supporter des ruptures de registre, ils n'en seront pas moins applaudis quand viendra l'éclatant *contre-ut* qui fera oublier les approximations précédentes. Toi, Mozart, tu résistes à ces bûcherons bien dotés par la nature dès lors qu'ils restent insuffisamment policés par la technique. Tu n'exiges ni des athlètes ni des phénomènes de foire, mais des stylistes.

Tu ne demandes pas de grandes voix, tu demandes de belles voix devenues instrumentales. Une voix mozartienne, c'est une voix timbrée, souple et ductile, une voix qui se tient à égale distance du cri et de la parole, une voix clarinette, une voix qui sait se retenir jusqu'à se faire ligne. Pas d'excès ni de couleurs outrées lorsqu'on t'interprète, pas de sanglots ni d'expressionnisme musical : l'émotion arrive par la courbure d'une phrase, comme ça, sans prévenir, l'air de rien.

« L'air de rien », voilà le tour qui pourrait résumer ton art. « L'air de rien », tu fais naître des personnages et une musique complexe en prenant soin de ne pas attirer l'attention sur ton travail ; tu suggères que cela coule de source.

Ce trio de *Cosi fan tutte* dont je me délecte pour me reposer de ma besogne sur *Les Noces* offre un précipité de ton art.

Cosi fan tutte (8)
Acte I Trio de
Fiordiligi,
Dorabella et
Don Alfonso

La nuit tombe, le vent frémit, deux femmes et un homme adressent des signes à un bateau qui s'éloigne dans la baie de Naples. Que disent-ils ? « Que douce soit la brise, que l'onde soit paisible, et que chaque élément réponde à nos désirs. » Bon et heureux voyage.

En trois minutes, le temps que la barque ne figure plus qu'un point à l'horizon, se dégage la quintessence de l'adieu. Adieu à quoi ? Adieu aux amoureux qui partent à la guerre, adieu au bonheur présent, adieu au rêve d'une union parfaite, peut-être adieu à l'innocence et à la sincérité car désormais, durant la pièce, pièges et supercheries vont se succéder. Peu importe la nature de l'adieu, quelque chose d'essentiel est en train de nous quitter.

En sourdine, les violons évoquent le bruissement du vent dans les voiles, le clapotis des vagues en écho aux battements des cœurs meurtris, puis les voix s'élancent, les femmes liées, l'homme à part. Elles étalent une tendresse voluptueuse mais perce, dessous, une inquiétude, marquée par la répétition lancinante du mot « désir », chargé d'ambiguïté. Est-ce déchirement ou apaisement ? Sous la bonté des vœux, il y a de l'ardeur... la tension monte par vagues en voulant s'apaiser... on perçoit l'angoisse et son contraire. La musique, entre le tracas et la tranquillité, manifeste une aspiration à la sérénité : elle escompte que le monde subsiste ainsi qu'il se montre, stable – couples unis, mer sage, vent dompté –, que les apparences ne se révèlent pas trompeuses, que la mer ne s'agite plus, que le vent ne se réveille jamais et que les passions ne changent plus de cap... Le drame, le vrai drame, au-delà de la séparation provisoire, apparaît, sous-jacent... l'instabilité. Le calme demandé à la mer et au vent, les personnages le réclament également de leur cœur ; ils implorent la paix, le repos, l'absence de tourment, quelque chose d'impossible...

Palpitantes, abandonnées, suaves, langoureuses, les voix espèrent en s'enlaçant puis, petit a petit, abandonnent et consentent à n'être qu'une aspiration.

Comment faire autrement ?

A la fin de l'air, la nuit a gagné.

En trois minutes, tu as dit tout cela et plus encore.

Pas besoin que la voix se brise en pleurs pour exprimer le chagrin, l'émotion naît de la longueur alanguie des volutes vocales. Pas d'emphase, seulement de la retenue. En restant pure, la voix se brouille de larmes comme les yeux se voilent en demeurant grands ouverts, les trémolos et les frissons étant portés par l'orchestre.

Ta stylisation, c'est une sublimation. Aux chanteurs, tu enjoins du timbre plus que de la puissance, de la douceur plutôt que du volume, un trait à la fois précis et ouaté, une émission qui ne rompt pas la ligne avec les mots ; l'âme humaine apparaît alors tel un dessin d'architecte. Tu rends les choses plus belles qu'elles ne sont ; ou plutôt, après toi – grâce à toi –, nous les voyons plus belles. Aussi vrai que Turner nous apprend à regarder la mer ou Michel-Ange un corps musclé, tu nous fais apparaître les sentiments dans leur force et, surtout, leur ambiguïté.

Un professeur de complexité, voilà ce que tu es. Avec précision, tu pointes les extrêmes qui nous composent, les tensions qui nous constituent.

Aux esprits confus, tout est confus. Aux esprits clairs, tout est clair : même ce qui leur échappe. Dès lors, plus une intelligence est lumineuse, plus elle peut appréhender le mystère.

Cher Mozart,

Un chanteur de variétés, émerveillé par lui-même et le succès de ses chansonnettes, disait hier à la télévision en flattant son piano laqué blanc : « J'écris avec les mêmes notes que Mozart. »

J'espère que tu en as ri autant que moi, puis que cela t'a fait réfléchir tant l'imbécillité touche parfois au génie. Oui, le chanteur peroxydé, au brushing aussi volumineux que son cerveau doit être exigu, soulignait un point essentiel : il ne compose qu'avec sept notes, comme toi.

Seulement, chez lui, ça s'entend...

Cher Mozart,

Comment écrire une pièce de théâtre après Beckett ? De quelle façon pratiquer le roman après l'école du Nouveau Roman ? Par quel moyen philosopher alors qu'on a « déconstruit » la philosophie ?

Lundi soir, je m'étais égaré dans un cénacle où l'on posait ces problèmes : que créer aujourd'hui ? Est-ce encore possible ?

Un instant, j'ai cru rêver et me retrouver coincé dans un vieux souvenir, tant la scène, identique, me reportait quinze ans en arrière, lorsque, fringant étudiant, j'intégrai ma

« grande école », l'Ecole normale supérieure à la rue d'Ulm, lieu mythique de l'intellectualité française par lequel sont passés quelques-uns de nos plus beaux auteurs : Péguy, Romain Rolland, Alain, Jules Romains, Bergson, Giraudoux, Sartre, Senghor, Foucault, Lévi-Strauss. Par naïveté, presque par malentendu, j'avais préparé ce concours, persuadé que la vénérable institution devait être une école de romanciers alors qu'en réalité, par un recrutement sévère, elle repère d'excellents élèves qu'elle modèle ensuite en professeurs d'université. Mes camarades de promotion, victimes d'une confusion équivalente, du haut de leurs vingt ans, s'annonçaient sans vergogne les uns aux autres qu'ils deviendraient écrivains, programmant une œuvre de la même façon qu'ils projetaient d'avoir une femme, trois enfants, une maîtresse, un appartement à Paris et une villa avec piscine dans le Lubéron. Options de standing. Au lieu de se mettre d'emblée au travail afin de rédiger le futur chef-d'œuvre, ils préféraient se rejoindre au café ou dans l'internat pour discuter en fumant.

« Comment écrire une pièce de théâtre après Beckett ? De quelle façon pratiquer le roman après l'école du Nouveau Roman ? Par quel moyen philosopher alors qu'on a "déconstruit" la philosophie ? »

En gros, cela revenait à se demander : comment vivre alors que tout est mort ? Où planter sur des terres que nos aînés, avec fierté, ont labourées, épuisées puis calcinées ? Par une dérive insidieuse et logique, la question virait : que peut-on encore brûler ? Quels feux nous reste-t-il à allumer ? Car ces jeunes gens dociles et cultivés, ces très bons élèves si bien dressés, ces premiers de la classe gentiment coiffés se rêvaient vandales et révolutionnaires. L'intelligence résidant dans la rupture, il leur fallait contester ou renoncer à être ; on leur avait enseigné l'histoire ainsi. Puisqu'ils avaient appris que leurs aînés étaient allés « au bout » du théâtre, du roman, de la philosophie, consciencieux, conciliants, ils tentaient d'apercevoir ce qu'ils devaient détruire et souffraient de ne pas le distinguer.

A cette époque, déjà, en les observant, je riais sous cape.

« Mozart ! Au lieu de rompre, commencez par poursuivre ! »

J'avais envie de leur crier :

« Mozart ! Au lieu d'abattre, apprenez à bâtir. »

Je gardais pour moi ce que je pensais :

« Mozart ! Imitez, reproduisez, donnez-vous des moyens ; quand vous aurez quelque chose à dire, vous en serez alors capable. »

Lorsqu'ils parlaient de forger une nouvelle grammaire, une syntaxe inouïe, des formes jamais vues, je ne pouvais m'empêcher de songer :

« Mozart ! Lui n'était ni novateur ni insurgé mais toujours original, singulier, expressif.

Trimballé par son maquereau de père à travers l'Europe, il a appris la musique en Allemagne, en France, en Italie, en Angleterre ; chaque fois qu'il rencontrait un artiste important, il s'en inspirait avec curiosité, il l'ingurgitait, il le digérait avant de le convertir en Mozart. »

Au cours d'une vie, chaque individu part en quête de son identité, parfois au milieu des autres ; cependant lorsqu'il se trouve c'est en lui-même, pas à l'extérieur de lui.

Mozart... Tu me semblais une clé secrète pour ouvrir ces portes. Quoique par timidité je conservasse cette conviction au fond de moi, mon silence ne t'empêchait pas d'accomplir ton œuvre, me libérer, me convaincre que c'est en écrivant qu'on devient écrivain ; tout en achevant mes études, puis en menant ma tâche d'enseignant à l'université, je me suis donc cherché, heure par heure, page après page, au bout de ma plume.

A l'heure actuelle, mes camarades sont avocats, hauts fonctionnaires, ambassadeurs, ministres, aucun n'a entrepris d'œuvre littéraire – bien qu'ils n'aient pu s'empêcher de publier des livres. En réalité, c'est toi qui leur as manqué. Pour moi, hier comme aujourd'hui, Mozart demeure le nom de la résistance que j'oppose au monde.

Mozart ou comment devenir soi-même... Toi, tu as souffert pour t'affirmer. Si ton père t'offre une formation précoce, exceptionnelle et complète de musicien, il n'ambitionne que de te voir compositeur de cour avec un bon salaire. Un poste de laquais, pas le statut de génie. Il ne t'imagine pas Mozart. De quelle façon le pourrait-il ? Bientôt il ne parvient plus à suivre ton exigence musicale, incapable de soupçonner l'excellence à laquelle tu aspires. Vous vous éloignez. A sa mort, non seulement tu éviteras son enterrement, mais tu rédigeras *Une plaisanterie musicale*, un pastiche qui rassemble les tics d'écriture que peut avoir un mauvais compositeur : hommage ironique au père défunt ? Aurais-tu créé autant si tu avais concrétisé son plan ? N'as-tu pas gagné à claquer la porte, à t'inventer compositeur libre, indépendant – le premier –, courant après la commande, obligé de produire pour manger, t'habiller à ton goût, élever tes enfants, gâter ta petite femme Constance...

Mozart, la société est pleine de Colloredo... Pardonne-moi d'évoquer l'homme que tu as sans doute le plus détesté, ce prince-archevêque de Salzbourg, ce Colloredo qui te traitait en domestique et qui, un jour, lassé de tes exigences, t'a fait chasser d'un coup de pied au cul par son grand chambellan. Tu dois savoir que rien n'a changé, ce sont toujours les Colloredo qui tiennent l'univers, il y a des Colloredo partout ! Colloredo, celui qui donne l'argent de l'Etat à des artistes qui n'ont pas de talent mais couchent dans les couloirs des ministères. Colloredo, celui qui, dépourvu de curiosité, sait toutefois ce qui vaut ou ne vaut pas en art, et, avec régularité, d'une plume aussi pompeuse que solennelle, distribue blâmes ou satisfecit. Colloredo, le critique qui, comme tous les gens cultivés, a une culture de retard et n'aperçoit même pas ceux qui conçoivent leur temps. Colloredo, le mercantile qui mesure la réussite d'une œuvre à l'argent qu'elle rapporte. Colloredo, le snob qui estime qu'une œuvre populaire est forcément mauvaise. Colloredo, qui n'apprécie pas avec son cœur et son intelligence, seulement en observant l'attitude qu'empruntent ses voisins.

Aujourd'hui, lorsque je repère un imbécile sentencieux ou un fonctionnaire inhumain, je lui colle sur le front l'étiquette Colloredo et je prononce à voix basse « Mozart » ainsi qu'on use d'un talisman contre l'adversité.

Tu as été mon secret, puis mon porte-bonheur ; j'espère que tu deviendras mon rendez-vous.

Je voudrais te rejoindre dans l'idéal d'un art simple, accessible, qui charme d'abord, bouleverse ensuite. Comme toi, je crois que la science, le métier, l'érudition, la virtuosité technique doivent disparaître sous l'apparence d'un naturel aimable. Il nous faut plaire avant tout, mais plaire sans complaire, en fuyant les recettes éprouvées, en refusant de flatter les émotions convenues, en élevant, pas en abaissant. Plaire, c'est-à-dire intéresser, intriguer, soutenir l'attention, donner du plaisir, procurer des émotions, du rire aux larmes en passant par les frissons, emmener loin, ailleurs...

De tout temps, la production artistique s'est divisée entre art noble et art populaire, que ce soit en littérature, en peinture, en musique. De tout temps, Mozart donne la solution. Au XVIIIe siècle, sévissait une querelle entre musique savante et musique galante : la musique savante appartenait au passé avec son écriture horizontale, contrapuntique, où chaque voix gardait son indépendance et parcourait son chemin en s'entrelaçant aux autres, une science que Bach avait portée à son plus haut degré de perfection dans ses fugues ; en réaction, la musique galante offrait une musique mélodique, aisée, plaisante, où l'orchestre accompagnait le chant et marquait la rythmique pour la danse. Tu as perçu les dangers qu'il y avait dans les deux camps : l'ennui. On s'ennuie d'une œuvre seulement légère, on s'ennuie d'une œuvre seulement savante. Entre ces deux mondes séparés, tu tendis le pont de ta musique, galante en apparence, savante en profondeur ; par un mélange de travail et de spontanéité, tu as permis aux contraires de se rejoindre.

Ton exemple dément les idées niaises, les doctrines manichéennes qui voudraient qu'on adopte un parti à l'exclusion de l'autre. Tant pis pour les fabricants d'incompatibilités, te voilà populaire et élitiste à la fois. Ta liberté vient du plaisir, ton seul maître ; plaisir de fredonner une mélodie évidente comme une comptine enfantine ; plaisir d'enflammer les cordes et les chœurs en une grande fugue d'église.

Cela dit, il ne faut pas s'exagérer l'importance des modèles. En art, la solution, c'est toujours le génie.

A bientôt.

P.-S. : J'écoute en boucle les quatuors que tu as dédiés à Haydn, le seul compositeur vivant que tu admirais, l'unique contemporain qui perçut d'emblée que tu étais un géant. Inspiré du début à la fin, fervent, sobre, viril, tu me fais ressentir combien il est bon pour deux hommes de s'admirer.

Cher Mozart,

Lorsqu'il écrit une messe, Mozart ne pense pas que Dieu est sourd. A la différence des romantiques et des modernes, il ne rivalise pas avec le ciel en puissance sonore ni n'engage, pour s'en faire entendre, des chœurs et des orchestres autant fournis que l'armée chinoise.

D'ailleurs, lorsqu'il écrit une messe, Mozart ne suppose pas non plus que l'homme soit sourd.

Pourquoi Beethoven, Rossini, Verdi, Mahler et tant d'autres deviennent-ils tonitruants dès qu'ils entrent dans une église ? Si on compare leurs œuvres avec celles de Bach et Mozart, il semblerait que le nombre de décibels soit inversement proportionnel à la foi de l'auteur. Les retentissants veulent nous convaincre, certes, mais d'abord se convaincre. Le bruit comme compensation du doute ?

L'homme de foi murmure en souriant, seul le prédicateur incertain s'époumone sur une estrade. Toi, Mozart, tu crois en Dieu aussi naturellement que tu composes. Sans fracas, tu adores créer à l'occasion des cérémonies, qu'elles soient catholiques ou franc-maçonnes ; tu le fais à la demande, parfois spontanément, telle cette *Messe en ut mineur*, magnifique et inachevée, que tu as élaborée pour la guérison de Constance, ta femme. Là se trouve une page qui m'obsède : « *Et incarnatus est.* »

Cet air-là m'accompagne depuis longtemps.

Lorsque je ne croyais pas en Dieu, je le goûtais en tant que musique pure, une des plus belles que je connaisse. Déjà, il m'enchantait.

Maintenant que je crois, il figure ma foi, un chant qui s'élève vers le ciel, au-dessus de cette terre provoquant tant de larmes, un chant heureux, reconnaissant, pur, sans cesse renouvelé, un vol d'alouette dans l'azur. Cette musique se rapproche d'une source, conduit à une tendresse originelle, une tendresse d'où tout vient, un amour profus, diffus, la tendresse du créateur.

(10) Grande Messe en Ut mineur « Et incarnatus est »

Et incarnatus est. « Il est né. » La première chanteuse à l'entonner fut Constance, celle qui t'a donné tes fils, une mère humaine, comblée et épuisée qui s'émerveille devant l'enfant. Lors de ma période athée, je ne percevais que cela, cette gratitude, et c'était déjà beaucoup que ressentir cette joie.

Voilà, les paroles ont été murmurées, *Et incarnatus est* ; la musique peut naître. Il n'y aura plus de mots, mais un souffle, un souffle qui s'envole sur son élan.

Sous un léger tissu d'accompagnement, une dentelle fine de flûte et de hautbois, la voix se fait instrument à son tour, le plus souple toutefois, le plus long, le plus beau. Le timbre pur, appuyé, exalté, monte jusqu'à la voûte de la cathédrale avec une jubilation infinie.

Et incarnatus est. Voici le chant suave de l'adoration, une célébration de la vie. Inouï. Avec jubilation, la voix parcourt l'espace, et, ce faisant, s'enchante d'elle-même, s'entête, s'enivre. La jeune maman se révèle un peu pompette car que sont ces vocalises, sinon de l'ivresse ?

Quelque chose s'attarde, suspendu... on ne sait plus quelles sont les limites de la voix qui s'envole, agile, infinie par sa courbure ; un jeu mouvant d'arabesques s'ajoutant les unes aux autres la déploie sans jamais en atteindre le bout, sans non plus qu'elle tombe dans les grands intervalles expressifs. Une idée de l'absolu...

L'enchantement dure et la métamorphose

s'accomplit. Ce n'est plus une voix, ce sont des ailes. Ce n'est plus un souffle humain, c'est une brise harmonieuse qui nous emmène au-delà des nuages. Ce n'est plus une femme, ce sont toutes les femmes, les mères, les sœurs, les épouses, les amantes. Les mots et les identités perdent leur importance : tu célèbres le miracle de l'être.

« Pourquoi y a-t-il quelque chose plutôt que rien ? » demandent les philosophes.

« Il y a ! » répond la musique.

Et incarnatus est.

Cher Mozart,

Dans ta musique, j'entends deux chants : le chant de la créature et le chant de Dieu.

Le chant de la créature, c'est celui de l'âme humaine, qui s'adresse au Créateur pour le remercier ou l'implorer, murmurant « pitié », psalmodiant *alléluia*, explosant de bonheur sur un *exultavit*, une parole terrestre, charnelle, colorée de sentiments très forts ; tes compositions religieuses, pieds dans la boue, répondent à cette fonction.

Le chant de Dieu, c'est le point de vue du Créateur. Il me semble que, parfois, tu te hisses à ce niveau. Là, il n'y a plus de sentiments mais l'après des sentiments, le point de vue dominant, la paix enfin...

Plusieurs fois, grâce à toi, je me suis évadé de ce monde pour rejoindre Dieu en écoutant l'adagio du 21e concerto.

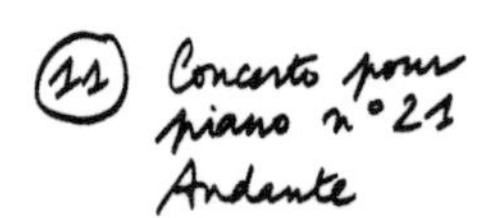

Dieu m'a invité dans son avion. Nous survolons le globe. Assis dans son cockpit, nous admirons la création.

En maître du domaine, Il me propose le tour du propriétaire.

Lui accomplit ce trajet chaque matin.

D'ailleurs, de son siège, c'est toujours le matin. Où qu'il se trouve, quelle que soit l'heure, quel que soit le côté de la cabine d'où nous regardons, voici l'aube qui pointe, la clarté frise à l'horizon, la lumière dilue l'obscurité, le ciel s'éclaircit, l'être gagne contre le non-être.

Nous n'apercevons que des victoires douces, des victoires roses.

Il me désigne les troupeaux de nuages qui lentement paissent au-dessus de la planète, le bleu profond et attirant de l'océan, les fleuves immobiles qui forment les veines des continents, les villes minuscules, les montagnes poudrées, les pôles blancs et plats...

De temps en temps, nous croisons un troupeau d'oies sauvages qui ne prêtent pas attention à nous, ou un satellite qui brille tel un sapin de Noël...

L'avion de Dieu n'a pas de moteur, c'est un planeur aux ailes longues et larges qui se soutient sur le vide.

Dieu ne touche pas les commandes ; très concentré, il pense les directions, lève les yeux et nous virons.

Le voyage dure le temps de ta musique. Une seconde dilatée en éternité. Nous évoluons sur la buée cosmique. Là où nous voguons – Dieu, toi et moi –, il n'y a plus de vent, plus de chaos, plus de turbulence.

Comment trouves-tu le moyen de représenter l'apesanteur ou même la pesanteur restreinte, toi, l'homme d'une époque qui ignore ces concepts ? Ta musique demeure suspendue, si proche du silence... les couleurs du silence... peut-être le battement du cœur du silence...

Le chant du piano monte et descend, comme l'aile de notre avion, égal, moelleux, tout s'équilibre... nous planons.

Quand le morceau cesse, de retour sur la piste, le casque à la main, étourdi, titubant, doutant d'avoir vécu ce moment éblouissant, j'adresse un geste d'adieu au pilote divin qui disparaît, gardant au fond de moi le souvenir d'un état serein auquel seule la plus intense des méditations pourrait me reconduire.

Ta musique, qui d'ordinaire révèle si bien les sentiments, parvient cette fois à exprimer leur disparition. Paix. Béatitude.

Tu permets l'accès à la vie mystique par l'art des sons. Tu nous ouvres les yeux sur l'invisible.

L'œil de Dieu...

Encore une fois, comment fais-tu ? D'où tiens-tu ce savoir ?

Cher Mozart,

Peux-tu m'aider à retrouver cette petite musique que tu m'envoyas au cours de mon enfance ? Je la cherche depuis des années...

Il s'agit d'une chanson douce qui me donnait du bonheur, une chanson qu'on fredonnait à deux voix, une mélodie claire et mesurée qui m'apportait la paix.

Une fois par semaine, dans notre salle de classe, l'instituteur se dirigeait solennellement vers l'énorme poste de radio brun qui trônait sur une étagère, aussi lourd et imposant que le coffre d'une voiture, un appareil trapu qui avait dû capter Radio-Londres pendant la guerre, où, en tournant un bouton rond, gros comme sa main, il activait une faible lumière. Ce réveil provoquait quelques crachats de la bête furieuse d'être dérangée, qui se secouait, s'éclaircissait la gorge, vrombissait, feulait, menaçait d'exploser de colère puis s'apaisait pour nous transmettre « le programme musical ». A l'époque, tous les enfants de France, le vendredi après-midi, à trois heures précises, se mettaient debout à côté de leur pupitre, dos droit, mains sur les reins, bouche bien ouverte, afin de suivre le cours diffusé par le service national. Nos maîtres, fidèles à la tradition française qui exige qu'un intellectuel soit nul en musique, se contentaient de nous regarder, d'assurer la discipline d'un sourcil sévère, et, parfois, d'agiter une règle, histoire de se donner l'illusion qu'ils dirigeaient une chorale.

Au milieu des comptines, entre l'hymne patriotique et les chansons anciennes célébrant les sources, les fontaines et les oiseaux, il y avait un air de toi que j'adorais. Sans doute le premier message que tu m'envoyas... Il gonflait ma poitrine de joie, je l'entonnais avec ivresse. Même les camarades dotés des voix les plus sales n'arrivaient pas à l'enlaidir, ceux qui ne parvenaient pas à le restituer, peinant sur le rythme ou l'intonation, préféraient mimer le chant en ouvrant des bouches de poissons rouges. Je me remémore ma fierté lorsque l'instituteur, une fois, exigea que la classe se taise et que seuls deux élèves, Isabelle et moi, entonnent cette chanson.

Nous avons mis tout notre cœur dans nos voix, Isabelle et moi. J'eus l'impression de voler sur les ailes de la musique ce jour-là, et je me souviens qu'à la fin, l'œil de l'instituteur refoulait une larme.

Mozart, dis-moi ce que chantaient avec tant de ferveur ces deux enfants de sept ans ?

J'ai retenu les notes initiales ainsi que les paroles françaises :

« Ô Tamino, mon cœur t'appelle... »

Qui est ce Tamino ?

Et qui l'appelle ?

Que nous faisais-tu dire qui nous bouleversait tant ?

Cher Mozart,

En écoutant *La Flûte enchantée*, j'ai retrouvé l'air de mon enfance. Merci d'avoir répondu à ma question.

Quelle magnifique idée tu as eue : créer un duo d'amour qui ne soit pas un duo d'amants ! L'homme et la femme qui chantent ensemble ne sont pas destinés l'un à l'autre, chacun manifeste son aspiration à aimer, pourtant chacun se tournera bientôt ailleurs : Pamina s'offrira à Tamino, Papageno à Papagena. Cependant, Pamina et Papageno joignent leurs voix pour célébrer l'amour.

Un autre opéra contient-il cela ? Je ne le crois pas... Un chat et une chatte qui murmurent en dehors des périodes de chaleur... Un duo désintéressé, un duo sans griffes, sans feulements, sans caresses, un duo détaché de l'orgasme, un duo qui n'est ni un prélude, ni un postlude aux échanges de fluide... Un duo d'amour universel plutôt que l'expression de petits arrangements égoïstes et particuliers...

La Flûte enchantée (12)
Acte I
Duo de Pamina et Papageno

Il y a là quelque chose de pur, d'évangélique... L'amour célébré comme une valeur sacrée. L'offrande.

Voilà pourquoi deux enfants pouvaient le chanter en s'engageant avec ferveur ! L'homme vante l'amour, la femme aussi, toutefois aucun n'attend rien de son partenaire. Pas de stratégie. Bas les pattes. L'amour au-delà du sexe. Cet amour que les enfants comprennent et éprouvent, tandis que nous, les adultes, l'oublions pour nous livrer à nos contorsions brutales, parfois jouissives, toujours brèves.

Ici, la sensualité demeure, dans la pulsion rythmique, son balancement, et cet envol lorsque cette vocalise crémeuse déploie sa joie vers le ciel… mais le respect s'impose. Il y a quelque chose de recueilli dans cette mélodie, une pudeur, une sorte de considération envers ce qu'on célèbre, rien d'hystérique, rien d'exalté. Une honnêteté.

Voilà l'amour dont tu me parles, l'amour tel que je l'envisage, l'amour dont on n'est ni la proie ni la victime, l'amour que l'on veut avec sa volonté. Un amour qui dépasse la pulsion, la sexualité, l'attirance des corps.

Un chemin ouvert devant soi, qu'on emprunte librement, en plein jour.

L'amour vainqueur de nos amours…

Cher Mozart,

L'enfance est un pays que l'on traverse sans s'en rendre compte. Arrivé aux frontières, si l'on se retourne, on remarque le paysage, mais c'est déjà trop tard.

L'enfance ne s'aperçoit qu'une fois quittée.

J'ai longtemps pensé qu'il y avait une seule manière de la regagner : par le souvenir. La mémoire parfois, sous l'effet de la volonté ou d'une sensation, permet d'en découvrir des fossiles.

Or il existe un autre chemin, pas souterrain

celui-là, moins obscur, qui redonne accès à ce territoire lointain : l'art.

Tu m'as révélé cette nouvelle voie en me faisant entendre *La Flûte enchantée*. Une chose me frappait : ton opéra le plus enfantin, peuplé de monstres, de trappes, d'animaux qui dansent, de palmiers en carton et d'instruments magiques, s'avère ton ultime opéra. Lorsque tu avais onze ans, tu composais des drames beaucoup plus sérieux, plus adultes, plus graves, plus ternes.

L'esprit d'enfance vient avec les années.

Comme toi, en tant qu'auteur, je ne me suis montré capable d'écrire des histoires dont les héros sont des enfants qu'une fois passé mes trente-cinq ans...

A quoi cela tient-il ?

Sans doute faut-il beaucoup de maîtrise et d'abandon pour oser la simplicité. On doit renoncer à épater les pédants, les demi-érudits, tous ces personnages érigés en juges qui ne discernent le talent que si une complexe sophistication l'encombre, qui détectent l'intelligence au fait que quelque chose leur échappe et qui repèrent le génie à l'inavouable ennui qu'ils éprouvent. Un art qui se revendique savant, qui souligne à chaque instant ses origines et ses ambitions culturelles, un art bien prétentieux gagne aisément la faveur des esprits qui se croient sérieux. En revanche, il prend le risque d'attirer le mépris des censeurs, celui qui s'avance vers eux, presque nu, muni de sa seule grâce et d'un sourire.

Il faut un surcroît de travail et de modestie lorsqu'on veut parvenir à un art clair, évident.

Toutefois le labeur et l'humilité ne suffisent pas.

Quand l'enfance a disparu, il se crée, parfois, chez les plus sensibles d'entre nous, vers quarante ans, l'esprit d'enfance.

Ça arrive tard, l'esprit d'enfance : c'est un souci de vieux.

Un talent trop précoce en demeure dépourvu. Les enfants prodiges sont insupportables, non par leurs dons, mais parce qu'ils ne sont plus des enfants. Ils rivalisent avec les adultes, ils les miment, ils les imitent ; y compris quand ils les dépassent, ils les singent encore. Ils n'expriment pas leur monde, ils viennent s'exprimer dans le nôtre. Aussi ne puis-je m'empêcher, lorsque je subis les exploits de ces virtuoses prématurés, d'avoir l'impression d'écouter des nains plutôt que des gamins. Malgré l'habileté flagrante de ces adultes rétrécis, je renifle l'imposture. Quelle que soit l'admiration qu'on marque, on est toujours gêné lors des expositions de bonsaïs, on a mal pour eux, pour leurs racines amputées, leurs branches tordues, leur soif trompée, on ressent la violence infligée à la nature, l'entorse au développement, on éprouve du ressentiment contre le bourreau esthète qui a triomphé d'un plus faible que lui...

Même écrites par toi qui fus enfant prodige,

les œuvres d'enfance n'ont rien d'enfantin, rien de maladroit. Lorsqu'on y prête l'oreille, on croit reconnaître les compositions solides d'un de tes contemporains adultes, celles de ton père par exemple. A de rares exceptions près, elles ne sont pas surprenantes en soi ; le surprenant, c'est que tu les aies rédigées à cet âge-là. Durant tes vingt premières années, tu fais montre de beaucoup de savoir. Défaut de jeunesse, le savoir. La simplicité arrive ensuite. Et l'enfance à la fin.

Au fond, tu es la preuve qu'on peut survivre à une enfance prodige. Et que le talent, l'habileté technique, la virtuosité n'empêchent pas, un jour, l'inspiration et le génie de s'imposer.

Dans *La Flûte enchantée*, l'esprit d'enfance est advenu.

Qu'est-ce ?

Pour l'appréhender, il faut avoir fréquenté ce pays en marge, où l'amour lie les êtres, un univers riche de douceurs, de câlins, de mélodies maternelles, de bras sur lesquels on s'assoupit. Sous ce ciel-là, on se réveille avec autant de bonheur que l'on s'endort, on s'abandonne passionnément au jeu, on se jette tout entier dans ce qu'on fait, chaque instant se savoure, intense. Le maître sentiment de ce lieu chaleureux est la confiance : on ne doute pas d'être aimé, on ne doute pas qu'il y ait un sens aux choses, on ne doute pas qu'il existe des réponses aux questions qu'on se pose. Si l'on étudie, ce n'est pas pour se nourrir ou échapper à la misère, c'est surtout pour satisfaire ses parents. Lorsqu'on reçoit une sanction, c'est de la main qui, peu après, nous cajolera ou nous offrira un gâteau. Pour autant, l'enfance ne reste pas dépourvue de frayeurs considérables, d'inquiétude devant la cruauté, de révoltes contre l'injustice ; il y règne toutefois une intense foi lumineuse.

L'enfance est une métaphysique, la conviction qu'il y a un ordre, un sens, une bienveillance au-dessus de nos têtes, ces grandes personnes admirées et redoutées qui détiennent tant de secrets. L'univers apparaît mystérieux davantage qu'absurde. Peut-être est-il immense, profond, ignoré, ténébreux, cependant ni vide ni instable... S'il m'échappe en partie, ce n'est pas parce qu'il est illimité mais parce que, moi, l'enfant, je suis limité ; j'ai néanmoins la possibilité de l'explorer ou de consulter un père, un professeur, un maître, un quelconque Zarastro plein de savoir et de sagesse ; je verrai plus tard... Ne vivant qu'au présent, j'estime avoir le temps...

Y a-t-il un âge plus intelligent que celui où l'on apprend, où l'on s'étonne ? plus actif que celui où l'on ne gagne pas son pain ? Pourtant l'enfant demeure humble, convaincu de son infériorité. Il se sait faible – raison pour laquelle il se rêve si souvent en héros –, il n'ignore pas qu'il ignore, il a besoin des autres qu'il est disposé à aimer, dont il attend spontanément qu'ils l'aiment en retour.

Il croit à des pouvoirs que les hommes n'ont pas encore humiliés, le pouvoir des mots, le pouvoir des fables, le pouvoir de la musique. Les premiers mensonges lui feront perdre la confiance dans les mots, les premières fables démenties le rendront sceptique, et peu à peu le bruit couvrira la musique.

Toi, Mozart, à quelques mois de ta mort, tu y crois toujours. A moins que tu n'y croies enfin...

En composant *La Flûte enchantée*, tu ne racontes que cela, le pouvoir de la musique sur les esprits, un pouvoir salvateur, pacifiant, régénérant.

(13) La Flûte enchantée Acte I Extrait du Finale

Tu fais mieux que le narrer, tu l'exprimes.

Comment retrouve-t-on l'enfance en musique ?

Par l'économie des moyens. Il faut peu de choses pour occuper un petit : un crayon, un bout de carton, une chaussette qui sert de marionnette. Tu allèges l'orchestre afin de le rendre aérien, coloré, timbré, au service d'un trait rond et d'un clair dessin des phrases de sorte que la musique ressemble à un corps de gamin, un corps frêle, souple même s'il n'est pas doté de puissance athlétique. Un corps menu.

Elaborer une mélodie simple qui ne soit pas sommaire, évidente qui ne soit pas rustique, cela demande beaucoup de talent, de travail et de goût. Certainement a-t-on besoin d'accéder à un âge avancé pour y arriver. Toi, tu y parviens à trente-cinq ans. Tu réussis même, dans *La Flûte enchantée*, à rapprocher la musique du silence, car tu sais que la contemplation et l'émerveillement – ces dons de nos vertes années – ne sont éprouvés que loin du bruit.

Cher Mozart,

Savais-tu, lorsque tu composais, que tu écrivais de la musique ancienne ?

Eh bien, rassure-toi : aujourd'hui quelques individus s'en rendent compte à ta place. Avant de t'interpréter, toi, l'homme moderne qui a été si sensible aux progrès de la facture instrumentale, ils vont chercher des trompettes usagées, des cordes pourries, des pianoforte antédiluviens qui semblent jouer du fond d'une piscine. Certains vont même jusqu'à s'habiller en costume du XVIIIe siècle, se poudrer, se coiffer d'une perruque, et j'en soupçonne quelques-uns, par fidélité aux usages de ton temps, d'aller uriner derrière les rideaux du salon.

Récemment j'ai proposé à l'un d'eux de se faire arracher une dizaine de dents pour s'approcher de ton époque.

Cher Mozart,

La musique répond oui à une question qu'on ne formule pas toujours.

C'est ce que j'ai éprouvé, à quinze ans, lorsque tu m'as retenu de me suicider. C'est ce que j'éprouve, jour après jour, lorsque j'ai besoin d'entendre quelques notes, le chant d'une voix ou de passer une heure à jouer du piano. Telle une éponge qui reprend du volume, je constate que je vais mieux.

Mais en quoi allais-je mal ?

La musique panse notre inquiétude fondamentale : que faisons-nous sur terre, avec ce corps friable et cette pensée bornée ? Apaisante, tout entière dévouée à la célébration de l'être, elle nous arrache à la tentation du vide et nous remet sur le chemin de la vie. Les religions, qu'elles soient d'Eglise ou d'Etat, le savent bien puisque leurs rites utilisent la musique en permanence.

L'expérience de la musique a partie liée avec l'expérience mystique.

Connaissant les deux, je ne peux m'empêcher d'en souligner les similitudes secrètes.

On traverse un moment où, enfin, les questions cessent. Lors de ma nuit sous les étoiles, perdu dans le désert du Sahara, tandis que j'avais l'intuition de me trouver en compagnie de Dieu, l'interrogation – cette tension, ce souci permanent de mon esprit – s'est interrompue pour laisser place à une plénitude satisfaite. L'être l'emportait sur le néant, la présence sur l'absence, le son sur le silence. Comme lorsque je t'écoute.

Expérience mystique ou expérience musicale, il s'agit d'un instant suspendu dans le temps. L'événement se révèle si intense qu'on ne peut le mesurer à l'aune habituelle des secondes, des minutes ou des heures. On participe à une extase détachée qui a ses propres lois, son organisation.

Même si l'intellect se tait, cela n'est pas dépourvu de signification. Au contraire, on ressent qu'un autre ordre se substitue à celui qu'on a appris, une logique inédite, souterraine, sans doute celle des sentiments.

Cher Mozart,

Dans ma vie, je n'ai eu que des chats mozartiens. Le plus récent s'appelle Léonard. Présentement, les yeux mi-clos, lové sur les feuilles de mon bureau, hésitant entre le jeu et le repos, il surveille distraitement mon stylo. De temps en temps, lorsque la plume s'approche et produit son grattement de souris contre la page, il l'attrape d'une patte lisse comme une moufle et lui impose le silence. Mais j'ai idée que le petit félin se contraint à gêner mon travail : par pure complaisance, il s'arrache au sommeil pour me signifier qu'il ne m'oublie pas ; en réalité, son corps s'endort déjà, il offre son ventre aux rayons chauds du jour, ses membres s'étirent en vue d'un bien-être prochain, ses paupières se ferment, il a rendez-vous avec ses rêves.

Tous les chats sont tes disciples. Ils avancent avec grâce, incapables de maladresse, le geste juste, précis, économe, vifs dès qu'il le faut, songeurs l'instant suivant, bondissant de l'action à l'immobilité, de l'allegro à l'adagio, avec une détente souple, des réceptions souveraines. Si l'on voit des chiens courir étancher leur soif dans une flaque, se jeter sur leur écuelle, s'essouffler, se fatiguer, les chats, eux, donnent l'impression de la facilité, jamais de l'effort, sans condescendre à révéler qu'ils ont, eux aussi, un organisme soumis à des besoins ou des limites ; ils semblent ne se mouvoir que par plaisir, pour l'agrément de nos yeux.

Au conservatoire de musique, les chiens demeurent des apprentis, les chats deviennent des maîtres. Chez le canin, la volonté met en branle une carcasse lourde, les intentions restent manifestes. Chez le félin, l'art cache l'art, le labeur dissimule le labeur, l'élégance ne se remarque pas tant elle paraît naturelle. Oui, en ce bas monde, seuls les chats surent tirer des leçons de ton passage sur terre, seuls les chats sont mozartiens.

D'ailleurs, as-tu constaté combien il est difficile d'évoluer sur ta musique ? J'ai rarement été convaincu par les ballets que des chorégraphes pourtant talentueux ont tenté de créer à partir de tes œuvres.

Quel rapport avec les chats, me diras-tu ? Mais la grâce... La tienne est telle que celle du danseur le plus expérimenté a toujours l'air gauche, studieuse, empruntée. Par contraste avec la fluidité de ta phrase, on note les pieds trop grands, la raideur de la jambe qui ne plie qu'au genou, le dos si peu flexible, l'épaisseur des articulations, le bruit que fait le corps au plancher lorsqu'il se réceptionne, la sueur qui vient poisser la peau, auréoler le costume, dégouliner sur le visage en ruinant le maquillage, comme pour prouver que les apparences ne peuvent résister longtemps. En danse, la matière gagne contre l'esprit ; pas dans ta musique. Ton cœur à toi bat sans s'affoler, sans faiblesse, sans usure, soumis à un autre rythme que nos cœurs de sang et de viande.

Hier soir, à l'Opéra, j'assistais à un ballet chorégraphié sur tes œuvres et j'ai cru que, par malice, tu brouillais ma vue. Si j'entendais bien ta musique sortir de la fosse d'orchestre, sur scène j'avais l'impression de découvrir une nouvelle troupe. Les danseurs, si fins et si élégants d'ordinaire, affichaient soudain une musculature hypertrophiée, exécutaient leurs pas avec des grâces de culturistes à un concours de biftecks ; quant aux ballerines, on aurait dit une troupe de lutteurs turcs, le maillot augmenté d'un tutu, se livrant à une succession de grimaces et de mignardises empruntées, menées au combat par leur étoile, habituellement divine, muée en haltérophile sur pointes. Mon cher Mozart, la légèreté aérienne de tes notes avait alourdi les éphèbes et épaissi les sylphides, transformant le spectacle en carnage.

Il aurait fallu une troupe de chats pour danser sur ta musique. Mais ces animaux-là, fiers et indociles, n'accepteraient pas même de répéter.

En ce moment, pourtant, Léonard exécute un solo sur un de tes mouvements lents : il dort. Il est parfait. Plein, doux et rond.

Et tout à l'heure, lorsque ses paupières se lèveront sur ses yeux d'or émaillés de pistache, il sautera au sol, prêt à jouer, et il attaquera l'allegro vivace...

Cher Mozart,

Je ne t'ai pas beaucoup écrit car j'ai été souffrant, ces derniers mois. Aujourd'hui encore, je stagne au fond d'un abîme de fatigue.

A toi pas davantage qu'aux autres je ne nommerai les maladies qui m'affectent et rendent difficiles mes nuits autant que mes jours ; j'ai toujours éprouvé de la gêne à évoquer ces événements organiques. Sache simplement que je suis passé par les nausées, la fatigue, l'absence d'envie, l'angoisse ; parfois j'ai de la peine à me mouvoir et je demeure, vide de forces, sur une marche d'escalier sans même pouvoir rejoindre l'étage où ma chambre m'attend.

Tu m'as apporté un grand soutien.

Plus régulier que le soleil derrière ma fenêtre, tu es venu avec ta lumière, ta joie, ton énergie.

Merci.

Cher Mozart,

Tu me parles du monde d'où je viens.

Un monde d'avant le langage, un monde de pulsions et d'émotions, quelque chose qui se trouve sous le verbe. Tu me fais entendre la partition sentimentale de l'existence.

Nous autres, pauvres écrivains, nous sommes obligés de détailler cette palpitation en phrases, en formules. Si nous pouvons nager, ce n'est qu'en dehors de l'eau. Certains mystères ne se laissent pas fouiller par les mots.

Grâce à toi, dans ce monde, en quelques notes, j'y retourne aisément.

Cher Mozart,

Pourquoi ai-je mis si longtemps à remarquer que tu m'avais consacré un opéra ? Oui, tu as éternisé notre histoire, à toi et moi...

Il m'a fallu arriver à la quarantaine pour noter que, ta dernière année sur terre, tu avais composé une œuvre théâtrale qui raconte comment la musique peut changer la vie d'un adolescent de quinze ans qui veut mourir : *La Flûte enchantée.*

Le héros, Tamino, risque la mort parce qu'il est poursuivi par un horrible monstre, un dragon serpent. Tombant évanoui – coma ou dépression ? –, il se réveille face à trois dames très bien chantantes qui lui confient une flûte magique afin d'avancer dans la forêt obscure.

Quelles sont les propriétés de cette flûte magique ?

Prince, accepte ce présent,
notre Reine te l'envoie.
Cette flûte enchantée te protégera,
elle te soutiendra dans la détresse.
Elle te donnera un grand pouvoir,
celui de modifier les passions humaines :
le mélancolique deviendra tout joyeux,
le solitaire tombera amoureux.
Cette simple flûte a plus de prix
que l'or et les couronnes,
car elle accroît la joie
et le bonheur des hommes.

(14) La Flûte enchantée
Acte I Extrait du Quintette de Tamino,
Papageno et les trois dames

Puissance de la musique...

Comme tu le dis, elle est capable de nous conduire du désespoir morbide à l'appétit de jouir.

J'ai envie de revenir en arrière pour tenter de comprendre comment le garçon que j'étais put passer, en quelques minutes, d'une vision suicidaire à une passion gourmande... A cette époque, je croyais que le monde mourait alors que c'était moi qui mourais au monde, en m'en détachant, en me coupant de ses odeurs et de ses saveurs.

A quinze ans, j'avais besoin d'absolu.

Seul, je n'avais découvert que l'absolu du rien. Toi, tu m'as montré l'absolu du beau. Au fond, tu as dévié mon idéalisme en l'orientant du néant vers l'être.

Qu'est-ce que le goût de l'absolu ? Le désir de rejoindre quelque chose de parfait, de complet, d'exhaustif. Ce souci de perfection peut aisément s'attacher à la mort car un extrémiste trouvera dans le néant l'absolue perfection, la perfection négative.

Tu m'as guéri en me désignant une voie différente. Pour autant, tu n'as pas supprimé mon goût de l'absolu.

Cela aurait pu être un mal se substituant à un mal, un traitement médical dont les effets secondaires se seraient révélés, à long terme, aussi pervers que la maladie soignée ; tu m'exposais à m'enfermer dans la musique, à ne rêver que de notes, de rythme, de timbres, d'accords, à encercler mon existence par une barrière de portées à cinq lignes, et à me retrancher derrière l'esthétisme. Or ton enseignement ne faisait que commencer : tu écris de la musique pour des raisons extramusicales ; tu composes pour raconter l'humanité, représenter nos caractères, explorer nos contradictions, figurer nos tensions, exprimer nos ferveurs, transmettre des valeurs.

Ta musique ne conduit pas à la musique ; elle conduit à l'humanisme.

PAMINA ET TAMINO

Maintenant viens et joue de ta flûte,
elle nous guidera sur la terrible route.
Nous marchons par la magie de la musique
sans peur à travers les ténèbres et la mort.

(15) La Flûte enchantée
Acte II Extrait du
Finale

Bienfait de t'écouter : la vie est toujours entourée par la mort mais n'en a plus le goût.

Cher Mozart,

Avons-nous été angoissés de naître ? Je ne m'en souviens pas.

Ce matin, je songeais à un bébé accoudé au balcon de l'utérus. Que penserait-il s'il contemplait, à l'avance, le spectacle de l'existence qui l'attend en dehors du ventre ? Peut-être serait-il horrifié par certaines horreurs ? Ou tenté par les splendeurs du monde ?

Fort heureusement, clos dans les murailles chaudes du flanc maternel, il n'imagine même pas.

Faisons comme lui. Clos dans les murailles

de cette vie, pourquoi serions-nous angoissés de mourir ?

Cher Mozart,

Longtemps, ta disparition prématurée fut à mes yeux un argument contre Dieu. A ceux qui clamaient : « La musique de Mozart m'attire vers Dieu », je répliquais : « La mort de Mozart m'empêche de croire en Dieu. » Trente-cinq ans et encore tant de choses à accomplir... N'est-il pas injuste qu'un génie comme toi meure jeune alors que tant de crétins vivent vieux ? Si Dieu existe et s'intéresse aux hommes, peut-il laisser agoniser Mozart et faire prospérer Hitler ?

Puis j'ai compris l'inutilité de ce genre de

réquisitoires. On ne doit pas accuser Dieu des événements organiques car ils ont leurs propres lois, soumis au hasard. Du point de vue de Dieu, avec la naissance nous est donnée la mort : le lot demeure égal pour tout homme.

Une vie, c'est forcément un édifice inachevé. Ton *Requiem* restera inachevé.

Il s'arrête sur un silence, le seul accord définitif, et celui-ci, Mozart, tu ne pouvais ni ne voulais l'écrire.

Requiem ou prélude au silence... Personne n'entendra la messe qu'on l'on jouera lors de ses funérailles. Même pas toi.

Je doute d'aimer ton *Requiem*... Est-ce dû à son caractère composite, puisqu'un de tes élèves, brusqué par ta veuve, l'acheva à ta place ? A ses couleurs sombres, noirâtres, fumantes, qui révèlent ton épuisement nerveux ? Je l'ignore. Après des dizaines d'écoutes à la fois passionnées et réticentes, j'en conclus surtout que je refuse d'admettre ton départ.

Une lettre de toi, rédigée lors de tes heures ultimes, te ressemble davantage, pour une fois, que ta musique. « Je suis sur le point d'expirer. J'ai fini avant d'avoir joui de mon talent. La vie, pourtant, était si belle, la carrière s'ouvrait sous des auspices tellement fortunés... Mais on ne peut changer son propre destin. Nul ne mesure ses propres jours ; il faut se résigner : il en sera ce qu'il plaira à la Providence. »

Tu quittes la terre le 5 décembre 1791. Depuis, tu ne nous as plus jamais abandonnés.

Le génie est un paysage trop vaste pour que les contemporains l'aperçoivent pleinement, ils n'en appréhendent que les détails évidents, tels le talent, la prolixité ou la virtuosité ; il a fallu plusieurs siècles afin qu'on prenne la mesure du tien. Toi, le petit homme pressé, éperdu de reconnaissance immédiate, tu avais besoin de temps pour que l'humanité réalise que tu étais un géant.

Cher Mozart,

Il n'y a pas une histoire de la musique mais une géographie de la musique. Sur une mappemonde multicolore existent plusieurs continents, le continent Bach, le continent Mozart, le continent Beethoven, le continent Wagner, le continent Debussy, le continent Stravinski... Parfois des océans massifs peints en bleu profond les séparent ; parfois, seul un détroit étroit marque la frontière, comme entre Debussy et Stravinski ; plus rarement, les territoires se chevauchent en raison d'une continuité géologique, ainsi Mozart et Beethoven partagent-ils un fleuve comme délimitation.

Non loin des masses continentales se détachent certaines îles plus ou moins importantes : l'île Vivaldi ou la péninsule Haendel autour de Bach ; les archipels Schumann ou les atolls Chopin aux environs de Beethoven. De temps en temps, à la faveur d'un raz-de-marée, on doit redessiner les cartes car, s'il est rare que des territoires disparaissent, il est courant que de nouveaux émergent.

Si la musique constitue une géographie, cela signifie que nous sommes devenus des voyageurs. Nos pérégrinations musicales n'ont rien d'une visite guidée, linéaire, fastidieuse qui emprunterait le chemin des siècles ; elles relèvent plutôt de raids libres, imprévus, imprévisibles, de sauts désordonnés effectués par lestage en parachute. Un jour chez Mozart, l'autre chez Debussy... Cette luxueuse fantaisie – avoir accès à tout –, les techniques modernes nous la permettent.

On ne découvre ni on n'aime les compositeurs dans l'ordre successif où ils sont apparus. Et si je me sens bien chez toi, Mozart, cela ne signifie pas que j'éprouve la nostalgie de ton temps ni que j'ai une sensibilité de ton époque puisque, une heure plus tard, je séjournerai chez Messiaen en passant par Ravel.

Cela dément de surcroît cette absurde notion d'un progrès en musique, comme si Schoenberg avait quelque chose de plus que Bach... Sur le globe de la musique, il n'y a que des univers...

Cher Mozart,

Tu es mort à trente-cinq ans.

Aujourd'hui, j'en ai quarante-cinq. Déjà, je te survis. Est-ce bien utile ?

Je m'enfonce vers des âges qui te sont restés inaccessibles. Découvrirai-je quelque chose que tu n'aies deviné ? J'en doute ; toutefois je te le ferai savoir au moment de payer l'addition.

As-tu été heureux ? Tu as manqué d'argent, de commandes, de sécurité alors que, de nos jours, tu toucherais des droits d'auteur qui te permettraient de racheter toute l'Autriche. Ton existence fut composée de malchances aussi nombreuses que durables. Bien que tu aies connu la gloire enfant, adulte tu n'obtins pas même la reconnaissance. Et tu n'as pas eu le temps d'exercer ton rôle de père ; seuls deux de tes enfants deviendront grands, deux garçons que tu n'élèveras pas et qui s'éteindront, privés d'héritiers.

Que faisons-nous sur terre ? Et surtout, qu'y laissons-nous ?

Il n'y a pas de descendance Mozart. Ta gloire n'est pas de chair mais d'art.

Heureux, je ne sais si tu le fus ; je suis certain en revanche que tu nous as fourni en bonheur davantage que n'importe qui. Par millions, nous dépassons tes trente-cinq ans sans laisser autant de trésors de joie derrière nous.

Quarante-cinq ans... jusqu'à ce jour, j'étais orphelin de toi, mon aîné, mon guide, mon maître ; et voilà que d'orphelin, je vais me transformer en père, plus mûr que toi... Le père d'un enfant mort. Tu vas rajeunir tandis que je vais vieillir.

Je rougis en songeant que, un temps, j'ai eu honte de t'aimer. Sotte réserve que je n'éprouve plus. Dire « j'aime Mozart », c'est se mettre nu et avouer qu'au fond de son âme les autres peuvent encore apercevoir un enfant, une joie, une allégresse. Dire « j'aime Mozart », c'est crier qu'on veut rire, jouer, courir, rouler dans l'herbe, embrasser le ciel, caresser les roses. Mozart, c'est la vitalité, les jambes rapides, le cœur qui bat, les oreilles qui bourdonnent, le soleil qui pose son étreinte chaude sur notre épaule, le lin de la chemise qui frôle le sein, la merveille de vivre.

Tu donnes des cours de bonheur en rendant leurs saveurs aux choses, en extrayant du moindre moment un goût de fraise ou de mandarine. Petite Musique de Nuit ? Non, Grande Musique de Lumière. Avec allégresse, tu renouvelles notre existence en un chant jubilant, où même la douleur et le malheur se rangent à leur place car, être heureux, ce n'est pas se protéger du malheur mais l'accepter.

Quand je songe que j'ai eu honte... Honte de t'avoir aimé d'abord. Et de t'aimer encore. Honte d'avoir si peu évolué.

Maintenant je ne l'avoue plus, je le clame : Mozart, je t'aime. Et lorsque je dis Mozart, je ne dis pas que ton nom, je désigne le ciel, les nuages, le sourire d'un enfant, les yeux des chats, le visage des gens que j'adore ; ton nom devient un code chiffré qui renvoie à ce qui est digne d'affection, d'admiration, d'étonnement, à ce qui bouleverse et pince le cœur, toute la beauté du monde.

Je suis passé dans le parti de la vie. Il faut tant de temps pour être simple.

Je t'embrasse.

P.-S. : Un jour, je m'éteindrai à mon tour. Qu'est-ce que tu me conseilles, comme musique, pour ce moment-là ? Jette un œil dans ton répertoire, s'il te plaît, et fais-moi une suggestion. Je ne souhaite ni un air triste ni un morceau pompeux, et je me demande bien ce qui conviendrait.

Message de dernière minute.

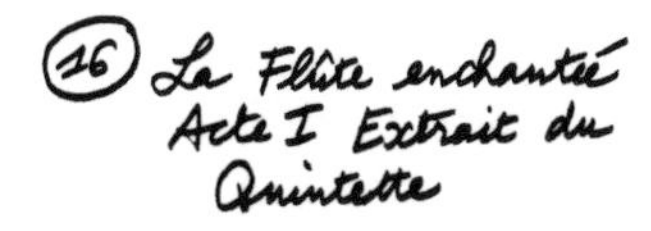

LES DAMES

Trois jeunes garçons, beaux, doux et sages,
vous apparaîtront au cours de votre voyage,
ils seront vos guides ;
ne suivez que leurs conseils.

TAMINO ET PAPAGENO

Trois jeunes garçons, beaux, doux et sages
nous apparaîtront au cours de notre voyage.

LES DAMES

Ils seront vos guides ;
ne suivez que leurs conseils.

TOUS

Adieu, nous devons partir.
Adieu, adieu. Nous nous reverrons.

Bien à toi,

Mozart

Lettres envoyées par Mozart

Renée Fleming, Anne-Sofie von Otter, Michele Pertusi, The Chamber Orchestra Of Europe, Sir Georg Solti – 2'49
℗ 1996 Decca Music Group, Universal Music 444 174-2

9. *Quatuor n° 15 en* ré *mineur*, K. 421 .... p. 101

1er mouvement : Allegro.
Guarneri Quartet – 7'40
℗ 1974-1975 RCA Red Seal, Sony BMG 82786 60390-2

10. *Grande Messe en* ut *mineur*, K. 427 .... p. 104

Credo : « *Et incarnatus est.* »
Maria Stader, Chor der St. Hedwigs-Kathedrale, Radio-Symphonie-Orchester Berlin, Ferenc Fricsay – 8'04
℗ 1960 Deutsche Grammophon, Universal Music 463 612-2

11. *Concerto pour piano n° 21 en* ut *majeur*, K. 467 .... p. 108

2e mouvement : Andante
Vladimir Ashkenazy, Philharmonia Orchestra – 7'53
℗ 1977 Decca Music Group, Universal 443 735-2

12. *La Flûte enchantée (Die Zauberflöte)*, K. 620 .... p. 117

Acte I, Duo de Pamina et Papageno : « *Bei Männern, welche Liebe fühlen.* »
Barbara Bonney, Gilles Cachemaille, The Drottningholm Court Theatre Orchestra, Arnold Ostman – 2'46
℗ 1993 Decca Music Group, Universal Music 470 056-2

13. *La Flûte enchantée (Die Zauberflöte)*,
K. 620 .... p. 126

Acte I, Extrait du Finale : « *Komm, du schönes Glockenspiel.* »
Hermann Prey, Wiener Philharmoniker, Sir Georg Solti – 1'17
℗ 1971 Decca Music Group, Universal Music 414 568-2

14. *La Flûte enchantée (Die Zauberflöte)*,
K. 620 .... p. 142

Acte I, Extrait du Quintette de Tamino, Papageno et les trois dames : « *O Prinz, nimm dies Geschenk von mir !* »
Hermann Prey, Hetty Plümacher, Stuart Burrows, Hanneke van Bork, Yvonne Minton, Wiener Philharmoniker, Sir Georg Solti – 0'48
℗ 1971 Decca Music Group, Universal Music 414 568-2

15. *La Flûte enchantée (Die Zauberflöte)*,
K. 620 .... p. 145

Acte II, Extrait du Finale : « *Wir wandelten durch Feuergluten.* »
Kiri Te Kanawa, Francisco Araiza, Academy of St-Martin-in-the-Fields, Sir Neville Marriner – 3'52
℗ 1990 Decca Music Group, Universal Music 426 276-2

16. *La Flûte enchantée (Die Zauberflöte)*,
K. 620 .... p. 160

Acte I, Extrait du Quintette : « *Drei Knaben, jung, schön, hold und weise.* »
Hermann Prey, Hetty Plümacher, Stuart Burrows, Hanneke van Bork, Yvonne Minton, Wiener Philharmoniker, Sir Georg Solti – 1'37
℗ 1971 Decca Music Group, Universal Music 414 568-2

DU MÊME AUTEUR

Aux Éditions Albin Michel

Romans

LA SECTE DES ÉGOÏSTES, 1994.

L'ÉVANGILE SELON PILATE, 2000, 2005.

LA PART DE L'AUTRE, 2001.

LORSQUE J'ÉTAIS UNE ŒUVRE D'ART, 2002.

Le cycle de l'invisible

MILAREPA, 1997.

MONSIEUR IBRAHIM ET LES FLEURS DU CORAN, 2001.

OSCAR ET LA DAME ROSE, 2002.

L'ENFANT DE NOÉ, 2004.

Essai

DIDEROT OU LA PHILOSOPHIE DE LA SÉDUCTION, 1997.

Théâtre

LA NUIT DE VALOGNES, 1991.

LE VISITEUR (Molière du meilleur auteur), 1993.

GOLDEN JOE, 1995.

VARIATIONS ÉNIGMATIQUES, 1996.

LE LIBERTIN, 1997.

FRÉDÉRICK OU LE BOULEVARD DU CRIME, 1998.

HÔTEL DES DEUX MONDES, 1999.

PETITS CRIMES CONJUGAUX, 2003.

MES ÉVANGILES (*La Nuit des Oliviers, L'Évangile selon Pilate*), 2004.

Le Grand Prix du Théâtre de l'Académie française 2001
a été décerné à Eric-Emmanuel Schmitt
pour l'ensemble de son œuvre.

Site Internet : eric-emmanuel-schmitt.com

Composition IGS-CP
Impression Bussière, en janvier 2006
Reliure Pollina
Éditions Albin Michel
22, rue Huyghens, 75014 Paris
www.albin-michel.fr

ISBN : 2-226-16820-6
N° d'édition : 24207. – N° d'impression : 060253/4.
Dépôt légal : octobre 2005.
Imprimé en France.